Ronald Bockius

Ruder-»Sport« im Altertum
Facetten von Wettkampf, Spiel und Spektakel

MOSAIKSTEINE

Forschungen am

Römisch-Germanischen Zentralmuseum

Band 10

Römisch-Germanisches
Zentralmuseum
Forschungsinstitut für
Archäologie

RGZM

Römisch-Germanisches Zentralmuseum
Forschungsinstitut für Archäologie

Ronald Bockius

Ruder-»Sport« im Altertum

Facetten von Wettkampf, Spiel und Spektakel

Verlag des Römisch-Germanischen Zentralmuseums Mainz 2013

Redaktion: Marie Röder, Claudia Nickel (RGZM)
Bildbearbeitung und Satz: Claudia Nickel (RGZM)
Umschlaggestaltung: Reinhard Köster (RGZM)

Bibliografische Information der Deutschen Nationalbibliothek

Die Deutsche Nationalbibliothek verzeichnet diese Publikation in der Deutschen Nationalbibliografie; detaillierte bibliografische Daten sind im Internet über http://dnb.d-nb.de abrufbar.

ISBN 978-3-88467-219-8

Druck: betz-druck GmbH, Darmstadt
Printed in Germany

Inhaltsverzeichnis

Experimentelle Replik »Victoria« eines Mannschaftsbootes vom Typ Oberstimm. – (Foto W. Huppertz).

Vorwort

Das vorliegende Buch entstand aus einer sportwissenschaftlich motivierten Auseinandersetzung mit dem Phänomen Rudern in der Alten Welt. Ziel war es, das Thema hinsichtlich seiner kulturgeschichtlichen Bedeutung sowie seiner technischen und schiffstypologischen Hintergründe, gestützt auf die historische und schiffsarchäologische Überlieferung, zu beleuchten. Bei der Sammlung und näheren Kenntnisnahme des Quellenmaterials – vorwiegend einer Fülle altägyptischer, griechischer und lateinischer Schriftzeugnisse und ikonographischer Quellen – zeigte sich, dass eine aktuelle Abhandlung mit chronologisch und geographisch weit gestecktem Rahmen fehlt. Zudem wurde deutlich, dass beim Auswerten der Dokumente historische und gesellschaftlich relevante Fragestellungen und Inhalte berührt werden, die sich dem Leser allenfalls bei einer mühsamen Sichtung der verstreuten antiken Texte und der Fachliteratur erschließen. Nicht zuletzt verzeichnet die Schiffsarchäologie, begünstigt durch aufschlussreiche Funde aus den vergangenen drei Jahrzehnten, Fortschritte in der Kenntnisnahme neuer Fahrzeugtypen und beim Verständnis antiker Schiffsantriebe, die bislang allein vor dem Hintergrund ihrer militärischen Relevanz diskutiert und in Arbeiten zum Wassersport im Altertum hinsichtlich ihrer Verwertbarkeit als archäologische Quellen noch nicht gewürdigt werden konnten.

Antikes Rudern hatte diverse Facetten – das wird weniger durch die überschaubare Zahl zeitgenössischer Bootsfunde deutlich, als vielmehr durch (In-)Schriften und Bilder derer, die Ruderfahrzeuge einschließlich ihrer Besatzungen und Betriebsmittel vor Augen hatten. Deshalb wird hier nicht nur eine Auswahl aus der das Thema illustrierenden Schiffsikonographie geboten, sondern auch aus der literarischen und epigraphischen Überlieferung, zumeist durch Originaltexte mit beigefügter Übersetzung. Dahinter steht nicht zuletzt die Absicht, dem humanistisch interessierten Leser die Möglichkeit einer kritischen Bewertung der historischen Nachrichten nebst ihrer hier vorgetragenen Interpretation an die Hand zu geben.

Die Verzahnung zwischen der Motivation des Ruderns – seiner militärischen oder kommerziellen Bestimmung, profanen oder religiösen Hintergründen und schaustellerischen oder sportlichen Absichten – und der Realie, dem mehr oder minder ruinös auf uns gekommenen Ruderfahrzeug, fällt nicht leicht. Dennoch finden sich Spuren, die beide Aspekte miteinander verknüpfen und so zu Veranschaulichung und Verständnis des Ruderns als Boots- und Schiffsantrieb im Altertum jenseits des Kriegs zur See beitragen können.

Ronald Bockius

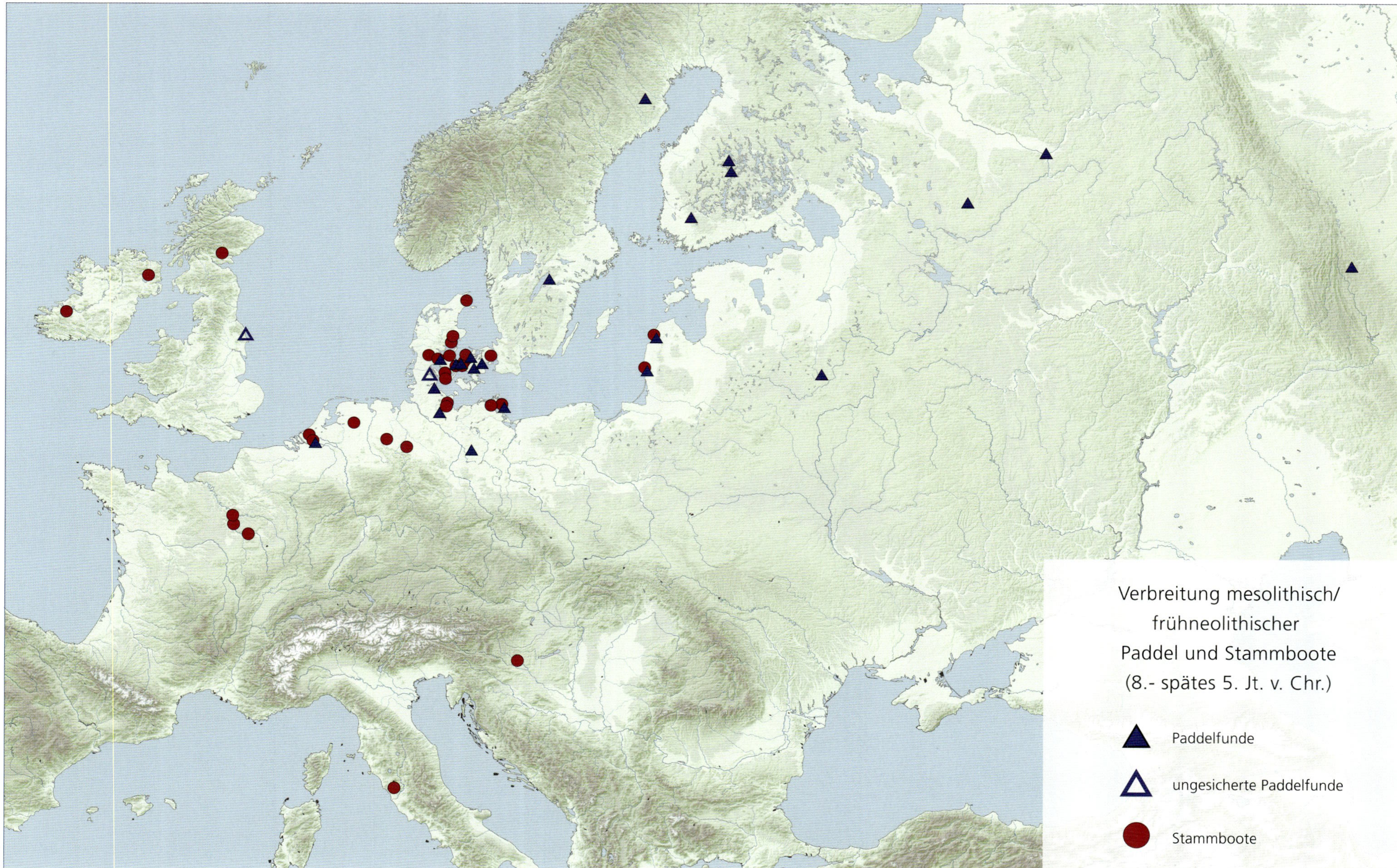

Karte 1 Verbreitung mesolithisch/frühneolithischer Paddel und Stammboote.

Zur Einführung

Die Fortbewegung auf dem Wasser, sei es auf Binnengewässern, vor der Küste oder zur See, war im Altertum primär durch den profanen Zweck bestimmt und kennzeichnete einen oft mühevollen und entsagungsreichen Alltag: die Beförderung von Gütern, Mensch oder Tier als Element eines Verkehrssystems, das die Existenzbewältigung abverlangte. Dabei wurde die Wahl des Vortriebes maßgeblich von natürlichen und ökonomischen Erfordernissen bestimmt. Wer auf dem Meer ruderte statt zu segeln, setzte auf vom Wind unabhängiges Manövrieren ohne Kursbeschränkung, wohingegen muskelgestützte Bootsantriebe eigentlich auf geschützten Gewässern ihr Revier hatten: nicht nur im Binnenmilieu auf Flüssen, Seen und Kanälen, sondern auch in Küstennähe und zwischen Inseln. Letzteres trifft sicher mehr auf das Mittelmeer zu als auf die Nord- und Ostsee, wo sich das Rudern von Booten und Schiffen denn auch als vergleichsweise junge, teils erst in nachchristlicher Zeit geübte Antriebstechnik erweist. Im Mittelmeerraum, dort vorwiegend im Osten, reichen die Anfänge dagegen um Jahrtausende zurück.

Seinem Wesen nach eher personalintensiv und besondere konstruktive Anforderungen an das Fahrzeug wie an dessen Ausstattung stellend, kann das Rudern keineswegs zu den wirtschaftlichsten Betriebstechniken zur Fahrt auf dem Wasser gezählt werden. Die dafür aufzuwendende Energie war auch in der Antike – aller klischeehaften Vorstellungen vom Rudersklaven zum Trotz – nicht gratis zu haben. Andererseits kannte auch das Altertum Betriebsformen, die zwischen Arbeit am Riemen als gesellschaftlich gewollte oder erwerbsorientierte Aktivität und individuell bestimmter zerstreuender oder konditionierender, eben sportlicher Betätigung als Teil einer Bewegungskultur zu unterscheiden wussten.

Als kulturgeschichtlicher »Spätzünder« wird die Erfindung des beidhändig bedienten Riemens im 4. Jahrtausend v. Chr. das Ergebnis einer empirischen Wahrnehmung gewesen sein, wobei sich die Wechselwirkung von hebelmechanischen Vorgängen und Körperarbeit als energetisch vorteilhafte Antriebstechnik erwiesen hatte. Das offenbar erst viel später entwickelte Skull unterscheidet sich bekanntlich vom Riemen vor allem durch seine geringere Länge und seine paarweise Handhabung durch eine Person. Beide Rudergeräte, insbesondere aber der Riemen, traten im Altertum in Konkurrenz zu dem deutlich älteren Paddel, das im nördlichen Europa bereits zur Mittleren Steinzeit, etwa seit dem 8. Jahrtausend v. Chr., als Vortriebsgerät kleiner, niederbordiger Boote geläufig war (**Karte 1**) und dort ebenso wenig wie anderswo in Vergessenheit geriet, jedenfalls durch andere Vortriebsmittel niemals ganz ersetzt wurde. Konsequenterweise wäre zu unterstellen, dass die Fortbewegung mit Riemen durch Pullen oder Stoßen für den Einsatz auf relativ großen, schweren Wasserfahrzeugen entwickelt wurde, und tatsächlich spricht alles dafür.

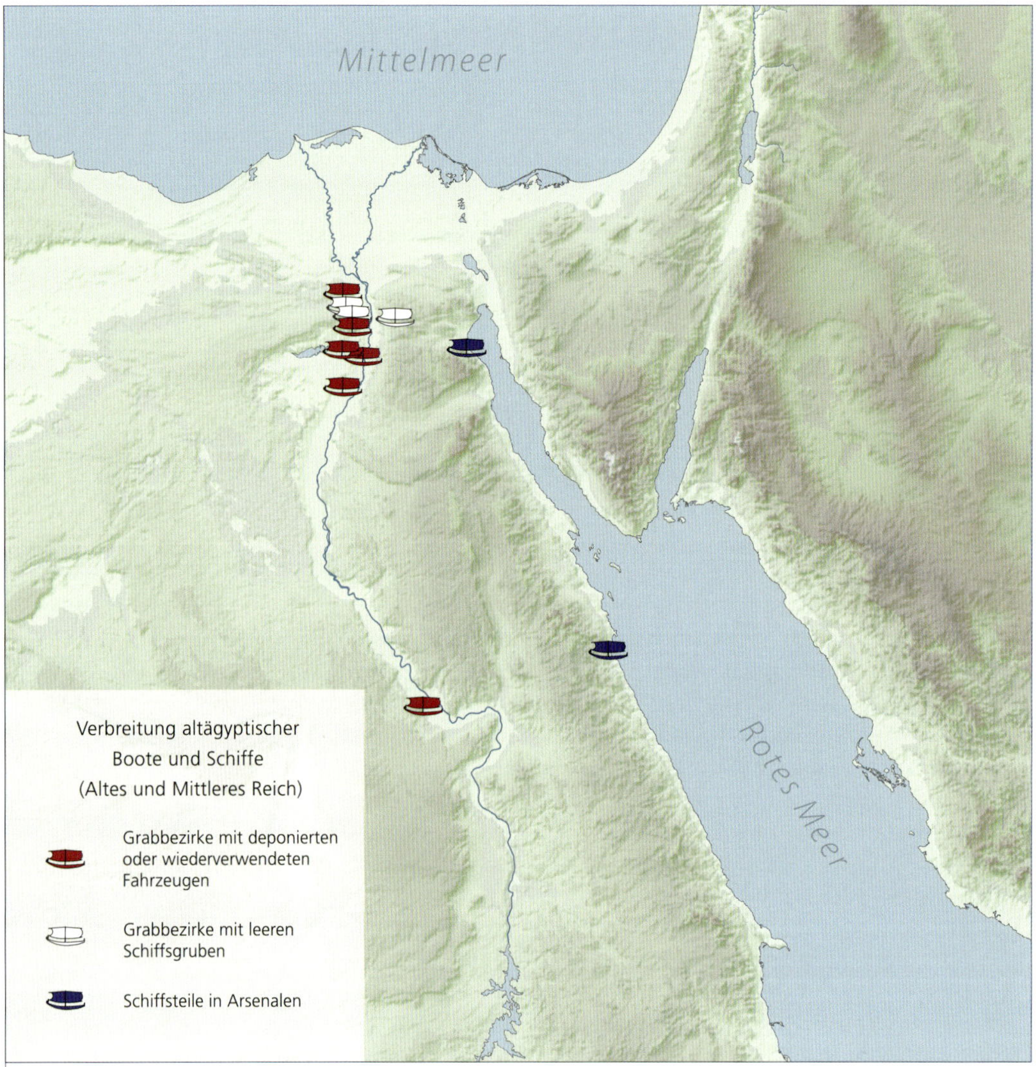

Karte 2 Verbreitung von Boots- und Schiffsfunden des Alten und Mittleren Reiches einschließlich der Deponierungsplätze.

Abb. 1 Inerty/el-Gebelein (Oberägypten). Bemalter Textilrest, vordynastisch, gefunden in einer prähistorischen Nekropole. – (Foto The Art Archive/Egyptian Museum Turin, G. Dagli Orti).

Ursprung des Ruderns

Die so häufig für die Erfindung des Rades gestellte Frage nach dem »Wo« und »Wann« lässt sich für den Ursprung des Ruderns klarer beantworten als für die Wurzeln des urgeschichtlichen Wagens. So fügen sich die als Nachweis heranzuziehenden Quellen bestens in das Bild einer Kultur, Umwelt und Gesellschaft, die auch bei der Entstehung des Schiffs die dominierende, wenn auch nicht die alleinige Rolle gespielt hat: Das älteste geruderte Schiff sowie die frühesten bildlichen Zeugnisse für Ruderantrieb liefert das vor- und frühdynastische Ägypten, dessen Lebensader, der Nil, die rund 1500 km lange Hauptverkehrsachse durch das südlich vom Delta bis zu 20 km breite Fruchtland darstellte. Hier treffen wir nicht nur auf günstige naturräumliche Bedingungen für die Entwicklung eines binnentauglichen Antriebs großer Wasserfahrzeuge, sondern auch auf die dafür förderlichen gesellschaftlichen, politischen und wirtschaftlichen Voraussetzungen; transporttechnische Zwänge bei der Ausbeutung von Ressourcen und intendierter Beschaffung von Prestigegütern, u. a. aus Ostafrika und dem Süden der Arabischen Halbinsel, forderten es geradezu heraus. Ein in die prädynastische Epoche datiertes Fragment Leinengewebe, gefunden in der Nekropole von el-Gebelein südlich von Luxor in Oberägypten, legt die Bekanntheit des Riemenantriebs schon im frühen 4. Jahrtausend v. Chr. nahe. Ein mit schwarzer und roter Farbe aufgemaltes Mannschaftsboot mit am Heck gelagertem Seitenruder sowie einer Installation mittschiffs, der Chiffre einer Takelage oder eines Baldachins, meint offenbar ein größeres mit Riemen angetriebenes Fahrzeug (**Abb. 1**). Vergleichbare Darstellungen kehren auf Gefäßen der Gerza-Kultur (Naquada II) aus dem zweiten bis dritten Viertel des 4. Jahrtausends v. Chr. sowie in Gestalt ähnlich alter Felszeichnungen aus der ägyptischen Wüste und in Nubien wieder. Soweit zeitlich näher zu fassen, datieren die ältesten Hinweise auf größere Boote in Mesopotamien mehr als ein Jahrtausend jünger. Soweit aus den spärlichen Sekundärquellen ersichtlich, waren die auf Euphrat, Tigris und ihren Zuflüssen eingesetzten Fahrzeuge für Paddelantrieb ausgelegt (**Abb. 2**). Gemäß einer bis in die jüngere Vergangenheit fortdauernden Tradition hat man gerade dort mit einem Baumuster (mit Tierhäuten über Flechtwerkkonstruktionen bespannte Schwimmkörper) zu rechnen, das sich aufgrund der Form und Dimensionierung der Rümpfe und der verwendeten Materialien kaum für Riemenantrieb eignete.

Dagegen kündet eine Reihe von Kunstdenkmälern aus dem pharaonischen Ägypten – vor allem Reliefs, Malereien und Miniaturen aus Tempelanlagen und Gräbern – in ganz unmissverständlicher Weise von der Bedeutung des Ruderns am Nil. Ihnen stehen teils außerordentlich gut erhaltene Boots- und Schiffsfunde aus dem Alten und Mittleren Reich gegenüber (**Karte 2**).

Abb. 2 Silberne Miniatur eines gepaddelten Mannschaftsbootes aus dem frühdynastischen Königsgrab PG 789 in Ur/Tell el-Muqejjir (Irak). Wohl um 2550 v. Chr. L. ca. 65 cm. – (Nach Hrouda 1991).

Abb. 3 Totenbarke des Pharaos Cheops, gefunden in einer der Schiffsgruben bei der Pyramide. Museum Gizeh. – (Foto A. Mees, RGZM).

Dabei handelt es sich zumeist um in Gruben neben Pyramiden bzw. auf königlichen Nekropolen deponierte, wohl bei den Totenzeremonien verwendete Barken (**Abb. 3**) oder um in den Pyramidenbezirken als Recyclingmaterial verbaute Schiffsteile, womöglich Überreste der beim Pyramidenbau zwecks Materialzulieferung auf dem Fluss eingesetzten Transportfahrzeuge. Wir kennen jedoch noch ein anderes Genre Schiff: Grabungen in Ayn Soukhna am Golf von Suez und in Mersa Gawasis südlich der Mündung vom Wadi Gasus am Roten Meer förderten unlängst bemerkenswerte Relikte aus der Zeit des Mittleren Reiches (ca. 2137-1648 v. Chr.) zutage. Inschriften, Schiffsholz und Ausrüstungsteile, in küstennahen Arsenalen verwahrt, korrespondieren mit epigraphischen Nachrichten über pharaonische Flottenexpeditionen zum Sinai und ins Goldland Punt zur Versorgung mit Luxusgütern meist schwarzafrikanischer Herkunft. Darstellungen ägyptischer Seeschiffe, wie sie seit der Mitte des 3. Jahrtausends v. Chr. wiederholt für Handelsreisen in den Süden des Roten Meeres eingesetzt wurden, zeigen besegelte, teils auch zusätzlich geruderte Fahrzeuge – eine Inschrift von Ramses III. differenziert zwischen

Abb. 4 Deir el-Bahari (Oberägypten). Mitteldynastisches Seeschiff mit Besegelung und Riemenantrieb. Ausschnitt vom Relief im Totentempel der Hatschepsut. – (Nach A. Mariette, Deir-el-Bahari. Documents topographiques, historiques et ethnographiques, recueillis dans ce temple pendant les fouilles exécutées [Leipzig 1877] Taf. 6).

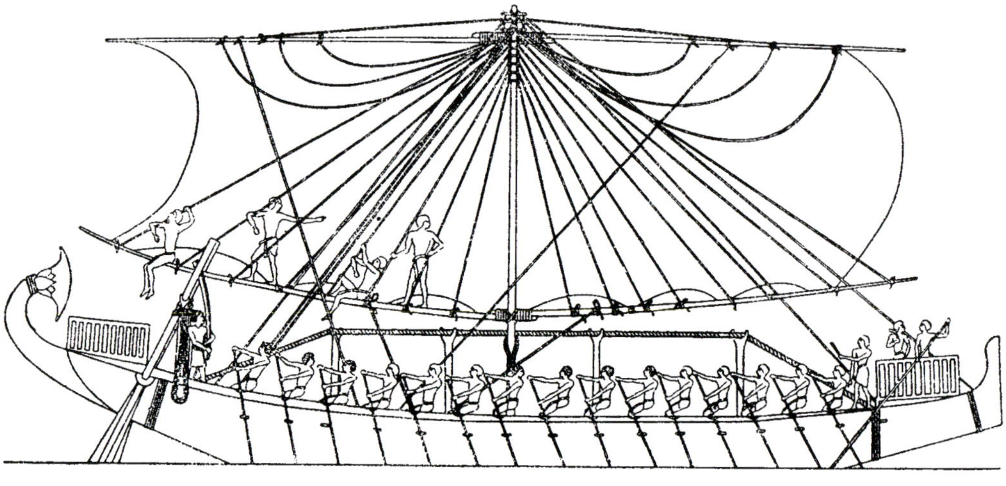

menhou/Frachter und bair/Truppentransportern.

Die ikonographische Überlieferung altägyptischer Ruderfahrzeuge lässt drei unterschiedliche Rudertechniken erkennen: Riemenantrieb durch stehende, in Fahrtrichtung blickende Mannschaften sowie pullende stehende Ruderer, deren Endzug, Ausheben und Riemenauslage durch eine sitzende Phase unterbrochen war (**Abb. 4. 36**); sodann wurde in der uns vertrauten Manier durch sitzende, mit dem Rücken in Fahrtrichtung gewendete Mannschaften gerudert. Die ersten beiden Varianten eigneten sich eher für die Fahrt auf stillen Gewässern, kaum hingegen für die offene See. Es versteht sich von selbst, dass die Bemessung von Gerät und rudertechnischer Ausstattung, seiner Anordnung im Fahrzeug sowie vor allem der Hebelarmverhältnisse und Blattflächen der Riemen auf den spezifischen Einsatz abgestimmt war.

Die politisch-wirtschaftlichen Verbindungen Ägyptens zur syro-levantischen Küste und nach Alashiya/Zypern mögen das Ihre dazu beigetragen haben, dass sich auch die seefahrenden Völker des östlichen Mittelmeerraumes des Riemens als Antriebsmittel ihrer Boote bedient haben. Gemessen an ihrem Kunstschaffen – zu nennen sind vor allem mittel- und spätminoische Siegeldarstellungen – ist dort spätestens in der ersten Hälfte des 2. Jahrtausends v. Chr. mit der Existenz größerer küstentauglicher Ruderfahrzeuge zu rechnen. Zwar gestaltet sich die Unterscheidung abgebildeter Wasserfahrzeuge nach Paddel- oder Ruderantrieb eher problematisch, jedoch verfügen wir mit den Fresken aus dem sogenannten Westhaus der spätkykladischen Siedlung Akrotiri auf Santorin über ein unzweifelhaftes Zeugnis beider Techniken in der Ägäis für das 17./16. Jahrhundert v. Chr. (**Abb. 5**). Hinzu kommen Darstellungen auf mi-

Abb. 5 Spätkykladisches Ruderfahrzeug. Ausschnitt aus einem Fries im sogenannten Westhaus von Akrotiri auf Thera (Ägäis). – (Foto akg-images, E. Lessing).

Abb. 6 Pyrgos Livanaton (Mittelgriechenland). Scherbe eines spätmykenischen Kraters mit der Darstellung eines Schiffes mit Besegelung und Riemenantrieb. – (Nach Bockius 2007a).

Abb. 7 Darstellungen phönizischer Kriegsschiffe mit einer und zwei Riemenreihen: **1** neuassyrisches Relief aus dem Palast des Sanherib (705-681/680 v. Chr.) in Niniveh (Irak). London, British Museum, Inv.-Nr. 124 772. – **2** Fragment einer Wandmalerei aus dem Palast von Til Barsip (Nordsyrien). 2. Hälfte 8. Jahrhundert v. Chr. (nach Hrouda 1991).

noischen Siegeln, die geruderte Seeschiffe mit einfachem Segelrigg zeigen.

Die in die heroische Epoche rückprojizierten Szenarien von mit Riemen und Segel ausgestatteten Schiffen achaischer Fürsten vor Troja bei Homer (z. B. Il. 2,718; 7,88; 16,168-170 [28]) kennzeichnen die Bedeutung des Ruderns in der griechischen Welt zum ersten Mal literarisch. Freilich ließe sich gerade der technischen Bewältigung von Handlungsabläufen im Epos unterstellen, dass sie gar nicht auf weit zurückreichender Erinnerung beruht, sondern von Bedingungen zur Entstehungszeit der Verse, frühestens im 8. Jahrhundert v. Chr., nautisch durchfärbt ist. Ob hier nun das Schliemannsche Bild spätbronzezeitlicher Seefahrt im Osten des Mittelmeeres während des 13./12. Jahrhunderts v. Chr. vermittelt wird oder es sich um ereignisgeschichtliche Metaphern einer früheisenzeitlichen submykenischen, wenn nicht gar noch jüngeren Adelsgesellschaft handelt, deren Macht und Profit auch auf dem Meer gewonnen wurden: Die ikonographische Überlieferung bietet durchaus zeitgenössische Belege für späthelladische Ruderfahrt. Etwa bildet die bemalte mykenische Keramik aus dem 13./12. Jahrhundert v. Chr. zuweilen größere, überdies zusätzlich besegelte Riemenfahrzeuge ab (**Abb. 6**), die minoische Seefahrtstradition fortführen. Die Verbreitung jener Tonware – im Osten bis in die Levante, im Westen bis nach Sardinien – beschreibt den geographischen Raum der damals gültigen antriebstechnischen Standards.

Beim ägäischen Seeschiff scheint um die Jahrtausendwende die funktionale Trennung in primär gesegelte Handelsfahrer und primär geruderte Schiffe kriegerischer Zweckbestimmung einzusetzen. Kampftaugliche Ruderschiffe werden in dem einige Jahrhunderte später aufkommenden griechischen Schrifttum mit klassifizierenden Begriffen bezeichnet, aus denen die Besatzungsgröße hervorgeht: τριακόντορος/Dreißigruderer (zweimal 15 Mann) und πεντηκόντορος/Fünfzigruderer (zweimal 25 Mann). Der *pentekontoros*, zweifelsohne ein relativ schlank konstruiertes Schiff, durch Vorderkastell und Rammsporn für den Kampf zur See gerüstet, kam gemäß seiner monerischen Mannschaftsanordnung und Besatzungsstärke, jeweils 25 hintereinander unterzubringenden Ruderern, auf eine Länge von ca. 30 m – für archaische Verhältnisse nicht eben kleine Abmessungen. Laut Aussage der griechischen Vasenmalerei und neuassyrischer Denkmäler (**Abb. 7, 1-2**) setzte spätestens in der zweiten Hälfte des 8. Jahrhunderts v. Chr., wohl nicht ganz zufällig mit den Anfängen der griechischen Kolonisation und der sich anbahnenden Konfrontation mit den phönizischen Städten einhergehend, die Entwicklung rudertechnisch und energetisch potenzierter Kriegsschiffe ein: Beim Zweier (Diëre) handelte es sich um ein Ruderfahrzeug gehobener Ordnung mit beiderseits zwei vertikal gestaffelten Riemenreihen (*dikrotos*) und 30, 50 oder

Abb. 8 Athen, Akropolis. Sogenanntes Lenormant-Relief mit der Darstellung einer Triëre, gefunden 1852 nahe dem Erechtheion. Um 410 v. Chr. Athen, Akropolismuseum, Inv.-Nr. 1339. – (Foto akg-images, J. Hios).

100 Ruderern, die auf ein Unterbringungssystem mit zwei Rängen pro Schiffsseite à 7 und 8 (30), 12 und 13 (50) oder zweimal 25 Mann (100) hintereinander verteilt waren. Diese numerische Rekonstruktion lässt sich aus einer Gruppe mit Liebe zum Detail gezeichneter Darstellungen in der griechischen Vasenmalerei ableiten.

Dem Prinzip des Zweiers folgte, womöglich mit gar nicht so großem zeitlichen Abstand, eine Klasse mit dreireihigem Riemensystem (**Abb. 8**), der ein noch höheres Energiepotenzial beizumessen ist. Schiffbauern des späten 8. oder 7. Jahrhunderts v. Chr. war es gelungen, durch platzsparendes, aber den Betriebsablauf nicht störendes Anordnen von Einbauten, Beschlagsausstattung und Gerät die Besatzungszahl eines neuen Prototyps zu steigern, ohne dessen Abmessungen und Massen in nennenswertem Umfang energetisch nachteilig vergrößern zu müssen. Ob Griechen oder die im westlichen Mittelmeer mit ihnen konkurrierenden Phöniker als Erfinder der dreireihigen Fahrzeugklasse in Betracht kommen, bleibt umstritten. Fakt ist, dass der Dreiruderer (Triëre) im 5. und 4. Jahrhundert v. Chr. das Rückgrat der Kriegsflotten mediterraner Staaten bildete; nach dem Urteil der Chronisten und gemäß attischen Urkunden ein schnelles Kampfschiff mit 170 Mann Ruderbesatzung plus gewöhnlich zehn Hopliten und vier Bogenschützen, die Mannschaft rekrutiert aus dem freien Bürgertum, wenn auch aus der untersten Zensusklasse der Theten; ein schlagkräftiges Kriegsschiff, seit dem Seesieg gegen die Perser vor Salamis in großen Stückzahlen gebaut und eingesetzt; wohl nicht seetauglich nach modernen Kriterien, aber in der sturmarmen Saison den mediterranen Bedingungen und bei umsichtiger Schiffsführung den Einsatzaufträgen genügend.

Die Rudermannschaft der Triëre war auf drei vertikalen, jedoch nicht durch Decks getrennten Ebenen und jeweils längs- und querschiffs gegeneinander versetzt auf Duchten untergebracht: ganz unten die als Thalamiten (auch »Thalamaken«) bezeichnete Abteilung, ganz oben die Thraniten, wobei die dazwischen angeordneten Ruderer (Zygites) auf Bänken saßen, die sich im Oberkörperbereich der Thalamiten befanden [9]. Das dreidimensional gestaffelte Raster des starren Ruderapparats war nach einheitlichen Längsmodulen von weniger als 1 m Distanz konstruiert, jede Raumeinheit (μετρόν) besetzten an Backbord und Steuerbord jeweils drei Ruderer, die sechs Riemen bedient haben – ein schiffsgeometrisch-biomechanisch durchdachtes Schema, aus dem eine Schiffslänge von weniger als 40 m bei einer Breite von weniger als 6 m resultierte (**Abb. 9**). Die Besatzungen, mit einem um den Körper gebundenen Lederkissen (S. 35 f.) auf ihren fest installierten Sitzen

Abb. 9 »Olympias«. Rekonstruktion einer attischen Triëre des 5./4. Jahrhunderts v. Chr. – (Foto B. Rankov, Royal Holloway, University of London).

rutschend, wurden, wie man sich denken kann, trainiert. Gemessen an Schiffsgröße und Einsatzgewicht lag die freisetzbare Vortriebsenergie in einem Rahmen, wie er sich an antiken Ruderfahrzeugen leichter Bauart und einfacher Ordnung gleichermaßen abzeichnet (S. 34 f.). Das Wirkungsprinzip stützte sich auf kompakte Bauweise, abgestimmt auf die Physiologie des Ruderers, mit in allen drei Achsen bestmöglich korrespondierenden Funktionseinheiten aus Dolle, Ducht und Stemmvorrichtung. Um betriebsbedingte Konflikte in Gestalt von Kollisionen zwischen Menschen oder Gerät zu minimieren, war die gegeneinander versetzte laterale Anordnung der Riemendrehpunkte entscheidend – in der untersten Ebene unmittelbar an der Bordwand, in der Mitte bei geeigneter Lehnung gleichermaßen am Rumpf oder in einem Ausleger, in der dritten Ebene an einem Seitenüberhang, jedenfalls am weitesten nach außenbords versetzt. Nach dem gleichen ruderphysikalisch-konstruktiven Konzept gelang schon beim Entwickeln des »Zweiers« die Verdopplung der Mannschaftsstärke ohne nennenswerte Verlängerung eines zu bauenden Rumpfes; der neue Typ war allenfalls einige Dezimeter breiter als Ruderfahrzeuge einfacher Ordnung, d. h. Ruderschiffe mit jeweils einer Riemenreihe und zweizeilig untergebrachter Mannschaft (monerisches Prinzip). Ein so begründeter moderater Breitenzuwachs einer Diëre gleicher Besatzungsstärke bei – gegenüber dem *pentekontoros* – reduzierter Länge kam der Seetauglichkeit und strukturellen Festigkeit zugute; das moderater zu gestaltende Längen-Breiten-Verhältnis begünstigte nicht zuletzt die Manövrierbarkeit. Neuentwicklungen verdrängten keineswegs die herkömmlichen Fahrzeugklassen, sondern deckten den strategischen Bedarf an Typen mit modifizierten, sich je nach operativer Verwendung

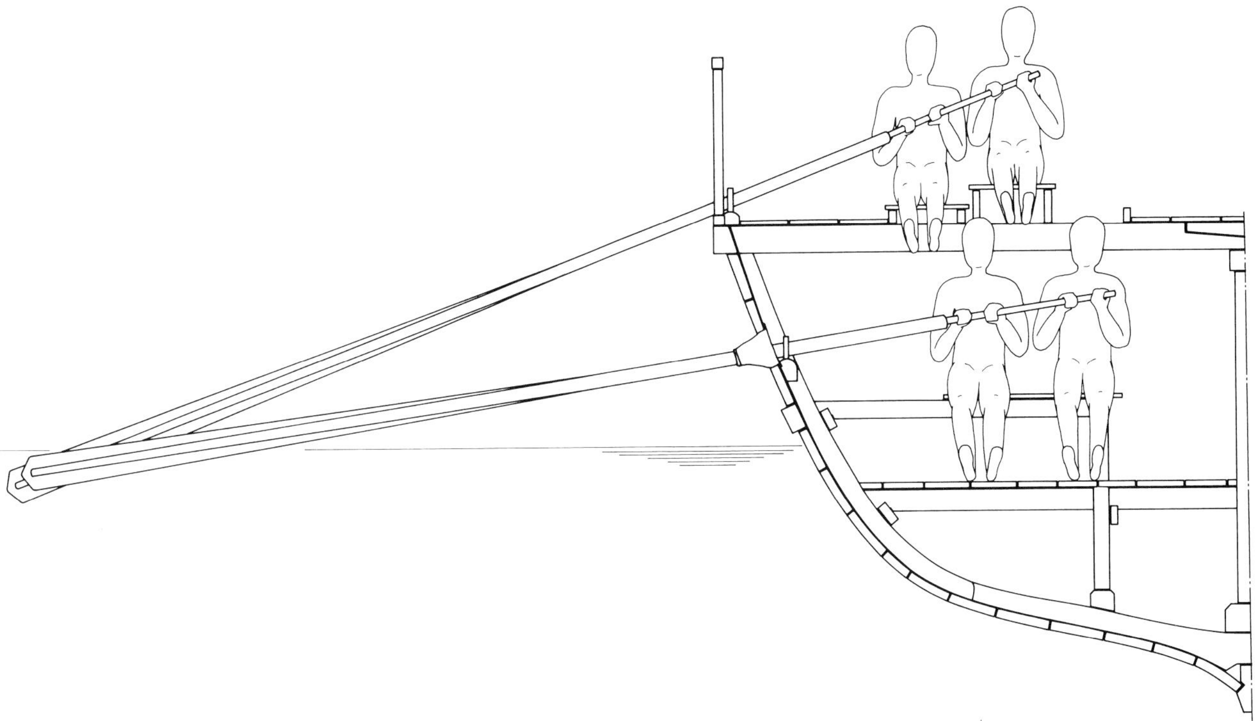

Abb. 10 Sektionale Mannschaftsanordnung eines antiken Vierruderers. Backbordseite. Rekonstruktionsentwurf nach dem Graffito aus Alba Fucens (**Abb. 21-22**). – (Nach Bockius 1997).

als günstig erweisenden Eigenschaften. War die technische Umsetzung jener Innovationen das Resultat nautischer Empirie, wurden sie von der macht- und wirtschaftspolitischen Lage initiiert, vor allem im westlichen Mittelmeerraum, wo phönizische und griechische Stadtstaaten nebst ihren Kolonien und Faktoreien als wirtschaftliche und machtpolitische Rivalen konkurrierende Interessen in Bezug auf Ressourcen, Einfluss und Absatzgebiete zur See vertraten.

Die griechische Historiographie der zweiten Hälfte des 5. Jahrhunderts v. Chr. billigte die Jahrhunderte zurückliegende Erfindung des Zweiruderers dem (ionischen) Erithrai zu [41], wohingegen die Triëre in Korinth, angeblich schon am Ende des 8. Jahrhunderts v. Chr., entstanden sein soll (Thuk. I 13,2). Für das zweireihige Ruderfahrzeug lässt sich ein hohes Alter ikonographisch bestätigen, indes nicht für die Triëre, deren älteste Bildzeugnisse erst im frühen 5. Jahrhundert v. Chr. auftauchen.

Seit dem 4. Jahrhundert v. Chr. wurden in vergleichsweise rascher Folge komplexer gestaltete Riemensysteme, Schiffsklassen mit stetig wachsender Mannschaftsstärke entwickelt, deren Dimensionierung bald die Grenzen des im reinen Holzschiffbau Machbaren zu sprengen drohte. Was uns an Namen als terminologische Kombination aus Zahlwort und griechischem Suffix oder verbunden mit dem lateinischen Begriff *remis* (Ablativ Plural von *remus*/der Riemen) begegnet, war nichts anderes als eine am spezifischen Antriebssystem gespiegelte Typisierung immer größerer, teilweise sogar monumentaler Ruderschiffe.

Um es mit Beispielen bewendet sein zu lassen, meinten lateinisch *quinqueremis* und griechisch πεντήρης den Fünf-, *decemremis* bzw. δεκατήρης den Zehnruderer. Bis zur Schlacht bei Actium am Golf von Ambrakia 31 v. Chr. waren in den Flotten antiker, insbesondere hellenistischer Seemächte Zehnruderer keine Seltenheit [47, Zeile 6]. Unter den Diadochen des Alexanderreiches und ihren Epigonen kam es aber auch zur Entwicklung von Großkampfschiffen, die sich jedoch über kurz oder lang als untauglich erwiesen haben: eher Prestigebauten als seetaktisch überlegene Fahrzeuge, die als 20er, 30er und selbst 40er (*tesserakonteres*) in Erscheinung traten und gerade aufgrund ihrer den Zeitgenossen beeindruckenden Größe sowie ihrer konstruktiven Komplexheit und technischen Raffinesse als Superlative ihre literarischen Spuren hinterlassen haben. Ebenso wie die bis zum frühen Hellenismus etablierten mittleren Schiffsklassen unterschieden sich die Antriebe der Polyeren von den kleineren zwei- und dreirangigen Rudersystemen der Diëre und Triëre dadurch, dass Riemen mehrfach besetzt waren. So arbeiteten in der wohl vorzugsweise zweireihig konzipierten *quadriremis*/τετρήρης (4er) je zwei Mann am Riemen (**Abb. 10**), in dem verbreitet eingesetzten *octoremis*/οκτήρης (8er) je vier Ruderer bei konstruktiv vorhandenen zwei Riemenreihen oder, bei dreireihiger Riemenanordnung, jeweils zwei, drei und drei Mann innerhalb eines Längsschiffsmoduls. Bereits mittelschwere Einheiten verfügten über Besatzungen in Bataillonsstärke: die römische Quinquereme in der Zeit der Punischen Kriege

Abb. 11 Buchminiatur im Skylitzes Matritensis, folio 146 verso. Chiffrenhafte Darstellung der byzantinischen Flottenexpedition gegen die sizilischen Sarazenen im Jahr 963 mit ein- und zweireihigen Ruderfahrzeugen.

gemäß Polybios [43] über 300 Ruderer plus 120 Deckssoldaten, der Fünfruderer der römischen Kaiserzeit über 400 Ruderer (Sil. [45]; Plin. nat. [40]). Dem Sechsruderer (*hexaremis*/ἑξήρης) schreibt Diodor [24] 500 Mann Besatzung zu.

Nachdem das Generationen von Gelehrten beschäftigende Enigma der Triëre und der hellenistischen Polyere durch die Auswertung zeitgenössischer Darstellungen und schriftlicher Quellen, schließlich durch den wissenschaftlich fundierten Bau und die testweise Inbetriebnahme von Repliken auch experimentell gelöst schien, entstanden Erklärungsmodelle, die historisch überlieferte Besatzungszahlen in Größenordnungen von wenigen Hundert bis zu 4000 Ruderern einzuordnen wussten, ohne in der Theorie stecken zu bleiben oder am physikalisch Unmöglichen zu scheitern. Als Resultat erfolgreichen interdisziplinären Zusammenwirkens von Archäologie, Alter Geschichte, Altphilologie und Ingenieurwissenschaften lässt sich heute mehr denn je guten Gewissens behaupten, dass die Menschen der Alten Welt den muskelgestützten Schiffsantrieb nach ihren technischen Möglichkeiten zielgerichtet fortentwickelt, in vielfältiger Weise eingesetzt und zweifelsohne auch besser beherrscht haben, als es moderne Experimente nachzustellen vermögen. Besonders hervorzuheben sind die intellektuellen, nicht zuletzt die planerischen Leistungen antiker Konstrukteure und Schiffbauer, denen es im Hellenismus mit Empirie und freilich der Bereitstellung beträchtlicher Finanzmittel gelungen war, bei einem beachtlichen Maß an Raumverständnis und Wissen um biomechanische Zusammenhänge immer kompliziertere Riemensysteme zu entwickeln. Anlass und Zielsetzung ihres Handelns waren einerseits das militärische Wettrüsten unter den Fürsten und Staaten, andererseits Repräsentation sowie die Demonstration von Macht und immensem Reichtum. Wiewohl kein Ruderfahrzeug, gehört der schwimmende Palast (*Thalamegos*) des Ptolemaios IV. Philopator und der Arsinoë (Athen. 5,204d-206c) in dieselbe Reihe wie die von Hieron II. (307/306-215 v. Chr.), Herrscher im sizilischen Syrakus, beauftragte *Syrakousia*, ein mit allen Bequemlichkeiten eines hellenistischen Fürstendaseins der Diadochenzeit ausgestatteter staatlicher Kornfrachter, der Merkmale eines zeitgenössischen Großkampfschiffes und einer feudal ausgestatteten royalen Staatsyacht in sich vereinigte. Das aufgrund seiner Größe und seines Tiefgangs hafenuntaugliche Schiff, an dessen technisch anspruchsvollem »Stapellauf« Archimedes als Projektleiter beteiligt war, gelangte als Staatsgeschenk an König Ptolemaios III. Euergetes nach Alexandria. Es soll über einen Ruderantrieb mit 2000 Mann verfügt haben (Athen. 5,206f-209b). Da solche Dimensionen keinen literarischen Einzelfall beschreiben, sondern hellenistische Ingenieure und Erfinder nach Ausweis der Quellen durch mancherlei Meisterstücke die Öffentlichkeit zu beeindrucken wussten und ihre technophilen Mäzene erfreut haben, gibt es keinen Grund, an den überlieferten Abmessungen zu zweifeln. Dass die schiffstypologischen Superlative antiker Chronisten durchaus keine Hirngespinste waren, belegt ein vergleichsweise junges archäologisches Zeugnis: der gegen Ende des letzten Weltkrieges leider wieder verlorene Sensationsfund

eines über 70 m langen Ruderschiffes (Nemi II) Kaiser Caligulas aus dem Lago di Nemi in den Albaner Bergen südöstlich von Rom. Als monumentaler Träger einer Tempelanlage entsprach das Fahrzeug zusammen mit einem ebenso großen Palastschiff ohne eigenen Antrieb (Nemi I) dem monarchischen Anspruch des hellenistisch-ptolemäischen *Thalamegos*, wie wir ihn aus einer Beschreibung des von König Ptolemaios IV. Philopator (nach 240 bis 205 v. Chr.) beauftragten schwimmenden Palastes kennen (Athen. 5,204d-206c). Caligulas literarisch bezeugte Zehnruderer, als megalomane Attitüden gerügt (Suet. Cal. [51]), spiegeln mit Luxus geladene Kurzweil und autokratisches Selbstverständnis wider. Dass Suetons biographische Charakterisierung des Caligula als verschwendungssüchtigen Tyrann hellenistischer Färbung nicht bloß für einen schriftstellerischen Topos gehalten werden muss, legt die Existenz der imposanten Lustbarken aus dem Nemi-See nahe.

Im Deutschen verbreitet als »Galeere« bezeichnet, verwendet die angelsächsische Sprachkonvention »galley« als wissenschaftlichen Gattungsbegriff für besatzungsstarke Ruderschiffe – auch für antike – gleich welcher Riemenanordnung und Klasse. Beide Wörter sind vom italienischen *galea* bzw. aus dem mittelgriechisch-byzantinischen Substantiv *galéa*/Wiesel abgeleitet, das für geruderte Kriegsschiffe des mediterranen Mittelalters steht und offenbar auf die Geschwindigkeit solcher Fahrzeuge anspielte. *Galea* meinte ursprünglich eine Schiffsklasse mit einfacher Ausstattung in der byzantinischen Kriegsflotte, wo die zweireihige Dromone mit ihren Spielarten die höheren Ränge besetzte. Allerdings werden die historisch dokumentierten Riemenantriebssysteme von Kriegsschiffen des mediterranen Mittelalters (**Abb. 11**) und der Renaissance (**Abb. 12**) gegenüber den antiken Ruderfahrzeugen durch mehr Unterschiede als Gemeinsamkeiten gekennzeichnet. Am allerwenigsten halten die Einsatzbedingungen und Gepflogenheiten bei der Mannschaftsrekrutierung spätmittelalterlicher und neuzeitlicher Galeeren dem Vergleich stand. Durch inhaltliches Vermengen mit älteren Sachverhalten entsteht rasch ein schiefes Bild, sodass man den Begriff »Galeere« zur Überschreibung antiker Einheiten besser vermeidet.

Abb. 12 Capitania Galea. Maltesische Galeere des frühen 16. Jahrhunderts. – (Nach J. Furttenbach, Architectura Navalis [Ulm 1629] Kupferbl. 1).

Literatur

Allgemeine sportwissenschaftliche Beiträge

Gardner 1881a; 1881b; 1890. – Jarrett-Bell 1930. – Patrucco 1972. – Decker 1975; 1987; 1996. – Brein 1978. – Backhaus 1978. – Pleket 1978. – Weiler 1981. – Lämmer 1986-1987. – Ellmers 1995. – Fortuin 1996. – Hale 1996. – Decker/Kurth 1999. – Golden 2003.

Bildliche Quellen von Boot und Schiff vom 4. Jahrtausend v. Chr. bis zur Spätantike

Reisner 1913. – Woolley 1934. – Casson 1971; 1994. – Jaroš-Deckert 1984. – Basch 1987. – Jones 1995. – Johnstone 1988. – Hrouda 1991. – Doumas 1992. – Wachsmann 1998. – Wedde 2000. – Höckmann 2001. – Fabre 2004-2005. – Göttlicher 2009. – Datenbank NAVIS II: www2.rgzm.de//navis 2/

Frühe Schiffsfunde im pharaonischen Ägypten und in der Ägäis

Lipke 1984. – Dürring 1995. – Ward 2000; 2004. – Abd el-Raziq/Castel/Tallet 2006. – Fabre 2004-2005. – Bard/Fattovich 2007. – Bockius 2007a.

Ruderfahrzeuge und Kriegsschiffe mediterraner Bauart von der Geometrischen Epoche bis ins Mittelalter

Tenne 1789. – Assmann 1889. – Miltner 1931. – Ucelli 1950. – Casson 1971; 1994. – Sleeswyk 1982. – Meijer 1986. – Morrison/Coates 1989; 1990. – Coates/Platis/Shaw 1990. – Coates 1993a. – Morrison 1993; 1996. – Alertz 1995. – Gardiner 1995. – Pryor 1995. – Meijer/Wegener Sleeswyk 1996. – Bockius 1997; 2007a; 2010; 2012b. – Wegener Sleeswyk/Meijer 1997. – Bonino 2003. – Pomey/Tchernia 2006. – Pryor/Jeffreys 2006. – Rankov 2012.

Rudern als sportliches Phänomen

Da das Rudern als Technik der Fortbewegung auf dem Wasser Arbeit darstellte, verwundert es nicht, dass seine Anwendung im Altertum verbreitet kommerziell und militärisch motiviert gewesen ist. Daneben blieb aber dennoch Raum für andere Nutzungsformen, die mehr oder minder treffend mit dem Begriff »Sport« zu überschreiben sind. Sie erschließen sich uns vorzugsweise aus der antiken Literatur und Epigraphik, doch hat hier auch die Archäologie ihren Anteil. Es mag nützlich sein, das Thema »Rudersport im Altertum« vor dem Hintergrund der antiken Überlieferung zu beleuchten, zunächst mit Blick auf die historischen und ikonographischen Quellen.

Dass die ältesten Hinweise auf Rudersport nach Ägypten führen, wundert insofern nicht, als hier denkbar günstige Bedingungen für die historisch-archäologische Überlieferung angetroffen werden. Das mahnt zur Vorsicht, ist doch damit zu rechnen, dass uns gleichwertige Informationen von anderen hochzivilisierten Völkern der Alten Welt nur deshalb verborgen bleiben, weil dort keine gleichwertigen Quellen zur Verfügung stehen, z. B. noch die Schriftlichkeit fehlte oder die Lesbarkeit gar kein Unterscheiden von Feinheiten, wie »rudern« versus »paddeln«, zulässt; oder weil das Wasserfahrzeug in der bildenden Kunst keine Rolle spielte bzw. Ruderboote als archäologische Realie nicht identifiziert werden können. Allerdings bietet gerade das pharaonische Nilland die kulturellen und gesellschaftlichen Voraussetzungen für ein frühes Aufkommen des Phänomens Rudersport: Der insbesondere für seine epigraphische Mitteilsamkeit und militärischen Ambitionen bekannte Pharao Amenophis II. aus der 18. Dynastie gefiel sich in der Rolle des kraftvollen Steuermanns und Kommandanten, ein Rollenverständnis, das dem altägyptischen Königsdogma zugedacht werden kann. Sich in eine egalitäre Rudermannschaft einzureihen, war hier nicht vorgesehen. Eines der von Amenophis II. hinterlassenen Dokumente, eine Steleninschrift [2], stellt denn auch seine physische Leistung als Steuernder in den Vordergrund, dann seine Befehlsgewalt über ein großes Schiff nebst dessen mit 200 Mann bezifferter Besatzung.

Der in der Inschrift genannten Zahl ist freilich zu misstrauen; man wird sie als Chiffre oder Größe der gesamten Schiffsbesatzung zu verstehen haben, nicht indes zur realen Bemessung der Rudermannschaft. Zwar ist gerade das pharaonische Ägypten für seine schiffstechnischen Großbauten bekannt, seien es Fahrzeuge für das Totenritual oder Transporter für gewaltige Obelisken. Jedoch hätte eine nach dem monerischen Prinzip auf zweimal 100 Plätze verteilte Rudermannschaft, die ebenso viele Riemen bedient, ein Fahrzeug von deutlich über 100 m Länge erfordert. Solche Dimensionen überschreiten die strukturelle Festigkeitsgrenze des Holzschiffbaus bei Weitem, insbesondere wenn es sich um ein Ruderschiff handelte, dem ja gemeinhin eine schlanke Bauart zu unterstellen wäre; gerade auch deshalb, weil hier noch mit den für altägyptische Fahrzeuge typischen weiten Überhängen an Bug und Heck gerechnet werden müsste, die einen Rumpf zusätzlich strecken. Da ein allzu großes Längen-Breiten-Verhältnis die Stabilität eines Fahrzeuges beeinträchtigt, wird man die überlieferte Zahl relativieren müssen. Aber sollte hier die gesamte Schiffsbesatzung und nicht die Rudermannschaft gemeint sein, dann hatte ein solches Ruderfahrzeug zweifelsohne noch immer imposante Abmessungen vorzuweisen.

Die Ausfahrten des Amenophis II. hatten ihre Zuschauer, und die erzielte Bewunderung und Ehrfurcht – natürlich auf die Person des Pharaos fokussiert – rechtfertigten solche pompösen Auftritte, die sein königliches Selbstverständnis spiegelten. Ähnliches trifft auf eine schaustellerische Spielart des Ruderns zu, die ein märchenhafter Papyrus-Text aus dem dritten Viertel des 2. Jahrtausends v. Chr. beschreibt, worin Pharao Snofru aus der 4. Dynastie als saturierter Betrachter lasziv gekleideter weiblicher Ruderer charakterisiert wird (Papyrus Westcar, Berlin, Ägyptisches Museum Nr. 3033). Ohne altägyptische Pharaonen zu »Sportskanonen« stilisieren zu müssen, ist ihnen das zuzubilligen, was sportliche Betätigung überhaupt erst ermöglicht – ein gewisser Wohlstand und Freizeit. Auf das Steuern der Staatsyacht als Ausdruck pharaonischer Identität und Selbstdarstellung treffen wir

Abb. 13 Trajanssäule (Rom). Reliefausschnitt Cichorius, Szene XXXIV unten, mit der Darstellung eines zweireihigen Kriegsschiffes mit einzeln besetzten Riemen. Der Rudergänger ist mit den Porträtzügen Kaiser Trajans versehen. – (Foto C. Beeck, RGZM; nach einer Kopie im Museum für Antike Schiffahrt, Mainz).

als Motiv, wenn auch vor einem ganz anderen gesellschaftlichen und politischen Hintergrund, erneut in Reliefszenen der Trajanssäule in Rom, wo der Kaiser als Lenker seiner Kriegsschiffe porträtiert wurde (**Abb. 13**). Wahrscheinlich stehen auch die beiden aus Silber bzw. Kupfer hergestellten Miniaturen mit Duchten ausgestatteter Mannschaftsboote im sumerischen Königsgrab PG/789 von Ur (Tell el-Muqejjir, Irak) aus der Zeit um 2600 v. Chr. für die Verfügungs- und Befehlsgewalt über Wasserfahrzeuge, die von Untergebenen fortbewegt wurden – wobei wir uns hier eher bescheidene Boote vorzustellen haben, die von bis zu zwölf Personen gepaddelt wurden (**Abb. 2**).

Eine Inschrift auf einem zepterartigen Stab, im Grab des kaum 20-jährig verstorbenen Pharaos Tutenchamun gefunden, wird als Zeugnis für sportliches Rudern und Bootswettkämpfe in der Zeit des Neuen Reiches bewertet [3]. Bei kritischer Betrachtung der gebotenen Übersetzung zeigt sich jedoch, dass der Text verschiedene Lesarten zulässt, die zwar beide auf die Existenz militärischer Rudermannschaften hindeuten, indes entweder auf eine Ruderregatta oder eine Art Heerschau abzielen.

Vergleichsweise reiches Quellenmaterial zum antiken Rudersport liefern die griechische Literatur und Inschriften. Die dort wiederholt und in diversen Phrasen auftauchende Wendung ἅμιλλα τῶν νεῶν (bzw. τῶν πλοίων) ist mit »Bootsrennen« bzw. »Schiffswettfahrt« zu übersetzen, im übertragenen Sinne mit »Regatta«. Gleichwohl lassen die Textinhalte erkennen, dass mit Wettfahrt nicht immer genau das gemeint ist, was wir uns heute unter einer sportlich motivierten Regatta vorstellen. Das Sichmessen auf dem Wasser, sei es organisiert oder spontan eingeleitet, geht bei den Griechen wahrscheinlich bis in archaische Zeit zurück (Hom. Od. [29]). Es ist aber nicht immer und ausschließlich als sportliches Phänomen zu sehen.

Thukydides [58] berichtet über die Zeremonie am Beginn der athenischen Flottenexpedition gegen das sizilische Syrakus im Jahr 415 v. Chr.: Nach kultischen Gesängen und Opferhandlungen liefen die bemannten und ausgerüsteten Kriegsschiffe in Kiellinie aus dem Stützpunkt Piräus aus, um dann eine Wettfahrt bis zu der rund 13 Seemeilen entfernten Insel Ägina zu unternehmen. Das zur Verabschiedung des Schiffskontingents im Hafen versammelte Volk hatte zweifelsohne nicht viel, genauer nicht lange etwas von dem Wettkampf, da die Kriegsschiffe bald außer Sicht gekommen sein müssen. Das Rennen mag man als Teil des Abschiedsrituals sehen; hingegen erscheint nicht weniger plausibel, dass solche Ereignisse als Flottenexerzieren zur Konditionierung der Mannschaften und als taktische Übung der Schiffsführung befohlen wurden. Das war kein Einzelfall (z. B. Thuk. I 80,4) und auch keine nationale Gepflogenheit. Die ein Seekriegsunternehmen initiierende »Regatta« war in den Staaten der Mittelmeerwelt offenbar eher die Regel als die Ausnahme.

1

2

Das Szenario um die Wette rudernder Kriegsschiffe begegnet schon bei Herodot, der ein Ereignis des Jahres 480 v. Chr. beschreibt. So soll der persische König Xerxes auf dem Marsch gegen das griechische Mutterland am Hellespont eine Truppen- und Flottenparade abgenommen haben. Die Kriegsschiffe bewiesen ihre Schlagkraft in einem Rennen, das vom Kontingent der auf persischer Seite stehenden phönizischen Stadt Sidon gewonnen wurde (Herodot [26]). Dass Wettfahrten antiker Kriegsschiffsgeschwader vor dem Kampfeinsatz nach Regeln erfolgten, wie sie uns heute ganz vertraut sind, ändert nichts an den militärischen Motiven – Sieger wurden mit Preisen belohnt, Verlierer konnten mit Zeitstrafen belegt oder durch zu Leistung motivierende »Penalties« diszipliniert werden (Arr. an. [10]; Xen. hell. [63]).

Es war zweifelsohne ein imposanter Anblick, wenn viele in Dwarslinien-Formation, also nebeneinander aufgestellte Kampfschiffe Höchstfahrt aufnahmen, um dann nach Durchlaufen einer vorgegebenen Distanz in loser Folge das Ziel zu erreichen. Nach kollektiv gebotener Leistung wird dem gemeinen Ruderer nicht nur Anerkennung durch den Befehlshaber und unbeteiligten Schaulustigen suggeriert, sondern auch Mut vermittelt, und vor allem den Gewinnern ein günstiges Schicksal bei der Seeschlacht in Aussicht gestellt. Neben dem psychologischen Moment jener Einsätze, die in der Phase des harmlosen Wettstreits unter Alliierten und Kameraden Eifer, Moral und Chorgeist fördern mussten, boten sie ja auch Gelegenheit zu einem letzten Üben, um ein gutes Zusammenspiel zu finden. Exerzieren, in welcher Form auch immer, blieb rekrutierten Besatzungen ohnedies nicht erspart. Drill der Ruderer, taktische Manöver und Gefechtsübungen der Kampfbesatzungen (*simulacra navalis pugnae*) mit der Absicht, Geschwader auf die Begegnung mit feindlichen Seestreitkräften vorzubereiten und die Performanz von Schiff und Besatzung zu testen, wie sie Livius für ein Marineunternehmen Spartas im Lakonischen Golf (192 v. Chr.) sowie nach der Einnahme von Carthago Nova/Cartagena durch Scipio im 2. Punischen Krieg (210 v. Chr.) notiert [33-34], bezeichnen den wohl kaum als

Abb. 14 **1** Ehrenstele für einen Kosmetes und Sieger in Wettkämpfen. Athen, hadrianische Zeit. Das am unteren Rand als Relief geformte Ruderboot mit acht Personen, von denen sieben in der Pose des Ruderns abgebildet sind, weist auf einen Regattasieg hin. Athen, Archäologisches Nationalmuseum, Inv.-Nr. 1468. – **2** Stele mit Ephebeninschrift (IG II^2 2087). Athen, Gymnasium des Diogenes, 163/164 n. Chr. Athen, Archäologisches Nationalmuseum, Inv.-Nr. 1466. – (Nach Mihopoulou/Bakalou/Tzachou-Alexandri 1989, 195 Nr. 87; 321 Nr. 206).

Sport empfundenen Dienst auf griechischen und römischen Kriegsschiffen.
Die *ephebia*, seit dem 4. Jahrhundert v. Chr. die vom attischen Staat geförderte militärische Ausbildung und Vorbereitung der männlichen Jugend im Alter von 19 und 20 Jahren auf ihre spätere Rolle als verantwortungsvolle Bürger mit der Verpflichtung zum Kriegsdienst, beinhaltete seit dem späten 2. Jahrhundert v. Chr. auch das Training am Bootsriemen. Auftritte und Wettkämpfe der nach Phylen aufgestellten Epheben bei Festen, den Panathenaia, in römischer Zeit dann bei den Adrianaia, Antinoaia und Germanikeia, bezeugt durch vornehmlich kaiserzeitliche Inschriften aus Attika, schlossen Bootsregatten in den Häfen von Piräus mit ein, die freilich vor dem Hintergrund der politischen Verhältnisse ihren Charakter als militärische Vorbereitung schon lange verloren hatten und teils privat finanziert wurden. Inschriftenstelen überliefern hohe, freilich auch einer größeren Personenzahl, ja sogar den Zweitplatzierten gewidmete Siegprämien [5]. Hält man das vereinzelt in Relief abgebildete Sportgerät für eine realitätsnahe Darstellung, dann handelte es sich bei den Regattabooten um kleinere offene Ruderfahrzeuge monerischer Bauart, Mannschaftsboote mit einer etwa 10-20 Ruderer zählenden Besatzung (**Abb. 14, 1-2**). Ihr militärischer Charakter kündigt sich einmal durch die Kennzeichnung eines Sporns an (**Abb. 14, 2**). Wenn Dion Chrysostomos im 1. Jahrhundert den Isthmischen Spielen für eine ferne Vergangenheit Bootsrennen zubilligt, verwendet er das Wort *skaphos* (σκάφος). In der Dichtung meint der Begriff zwar auch ein Schiff, sonst jedoch gemeinhin ein Kleinfahrzeug, ein eher zierliches Boot.
Andere Verhältnisse findet man zur Zeit der noch von Rom unabhängigen Griechenstaaten vor, als auch die Triëre – man bedenke die Größe und die mit 170 Ruderern zu veranschlagende Mannschaft – ihre Auftritte hatte; einerseits in buchstäblich als Regatta qualifizierbaren Wettkämpfen, andererseits aber wohl auch bei der Ausrichtung an die Siege der alliierten Griechen gegen die Perserflotte von 480/479 v. Chr. erinnernder Seegefechte, Schauspiele ohne Inkaufnahme von Verlusten an Mensch und Material. Die Schauplätze, mal vor Kap Sounion (Lys. [36]), mal nahe dem »Grab des Themistokles« (Plut. [43]) bei der Bucht von Piräus, lassen die Choreographie schemenhaft erahnen. Wir erfahren beiläufig, was man sich ohnehin denken konnte: Solche Veranstaltungen waren nicht billig, was private Sponsoren freilich nicht daran hinderte, sich finanziell zu beteiligen [34].

Dass Nikokles, seiner Geburt nach Hellene, später König des zyprischen Salamis und der ganzen Insel, das Grab seines Vaters Euagoras nicht nur nach den Griechen barbarisch erscheinender Sitte mit Preziosen überhäufte, sondern ihn nicht weniger aufwendig mit Totenfeierlichkeiten, darunter auch athletische Wettkämpfe, Pferderennen und eine Regatta mit Triëren (Isokr. or. [32]), geehrt hat, steht nicht in Zweifel. Pompöse Bestattungen, zumal von Fürsten, etwa in Gestalt prachtvoller, monumentaler Grabmäler – man denke an das Mausoleum von Halikarnassos –, waren orientalisch geprägten griechischen Dynasten am Vorabend des Hellenismus ebenso wenig fremd wie dem in Vergina bestattenden makedonischen Königshaus. Dass Nikokles die salamischen Triëren seines Vaters Euagoras zu dessen Ehren in einem Rennen auffahren ließ, fügt sich in das Bild feudaler Zurschaustellung von Macht und Besitz.
Vergils minutiöse, ja geradezu ausufernd detaillierte Darstellung einer mit Triëren ausgetragenen Regatta anlässlich des Begräbnisses von Aeneas´ Vater Anchises [60] könnte für eine Parallele zu den Ereignissen vor dem zyprischen Salamis gehalten werden, doch ist sie natürlich Legende – Teil eines genealogischen Konstrukts, das Augustus´ Familie der Iulier im mythischen Adel Trojas wurzeln lässt und ihm durch die Verbindung des Anchises mit Aphrodite zugleich göttliche Abstammung verschaffte. Aeneas wird zum Urahn des Patriziergeschlechts der Iulii, während sich andere altrömische Familien auf die Abstammung von seinen Gefährten berufen. Was als Hommage an den Vergil schätzenden Augustus verstanden werden kann, stellt sich als Konstrukt heraus, als fiktive, partiell aber auch an zeitgenössischen Vorgängen gespiegelte Komposition. Sie schöpft aus dem Sujet homerischer Erzählung, die dem Dichter selbstverständlich vertraut war. Hier folgt er der epischen Tradition der Heldenbestattung, die mit Wettkämpfen und Kampfspielen (ἀγωνες ἐπιτάφιοι; lat.: *ludi*) begangen wurde, man denke an das Wagenrennen bei den Feierlichkeiten um den toten Patroklos vor Troja (Hom. Il. 23,126 ff.). An dieselbe Tradition anknüpfende reale Leichenspiele zu Ehren herausragender oder begüterter Persönlichkeiten, u. a. mit Zweikämpfen und Rennen gestaltet, waren Griechen und Etruskern wohlbekannt, da sie noch in historischer Zeit anlässlich der Bestattungszeremonien Gefallener sowie als Helden verehrter Zeitgenossen, zumeist aus den Kreisen der Elite, Usus waren. Vergil fügt den Agonen um die Beisetzung des Anchises aber auch die sehr konkret wirkende Schilderung einer Triëren-Re-

gatta an, wohlgemerkt Rennen einer zeitgenössischen Kriegsschiffsklasse, geradeso als hätte er sie vor Augen gehabt. Es spricht manches dafür, dass Vergil Augenzeuge einer solchen Regatta gewesen ist.

Vergils unvollständig gebliebene Aeneis wurde gegen seinen erklärten Wunsch nach seinem Tod (21. September 19 v. Chr.) am Ende des 1. Jahrhunderts v. Chr. posthum herausgegeben, veranlasst von Augustus, dessen Herrschaftsanspruch von diesem Epos Legitimation erfahren konnte. Augustus´ Position stützte sich im Besonderen auf seinen Erfolg in der Schlacht bei Actium vor der Bucht von Ambrakia, wo bald darauf im neu gegründeten Nikopolis in einem von Augustus gestifteten, Mars und Neptun geweihten Siegesdenkmal von gegnerischen Schiffen erbeutete Rammsporne ausgestellt waren. Augustus verlegte die dem Apollon Aktios geweihten akarnanischen Spiele nach Nikopolis und wertete sie auf (Strab. [47]). Gemäß einer spätantiken Quelle (Steph. Byz. s. v. Aktia) wurden dort neben gymnischen und hippischen Agonen zudem Bootsrennen veranstaltet, wie sie auch für andere Orte Griechenlands überliefert werden (Paus. [38]). Zwar misstraut man dem wohl um 530 n. Chr. schreibenden Stephanos, weil er die älteren Quellen zufolge penteterischen Spiele alle drei Jahre stattfinden ließ. Indes ist gerade hier, am Platz von Augustus´ Seesieg gegen Marcus Antonius und Kleopatra, mit der Aufnahme von mit Kriegsschiffen ausgetragenen Regatten oder Gefechtsinszenierungen zu rechnen. Haftete der Triëre seit alters her der Nimbus von Schnelligkeit und Schlagkraft an, waren es vorwiegend die leichten und manövrierstarken Schiffsklassen, zu denen auch die Dreier gehörten, die dem nachmaligen Augustus zum Erfolg über einen gemessen an seinen Dickschiffen überlegenen Gegner verhalfen. Noch dreieinhalb Jahrhunderte später wird in den Hexametern des Ausonius [12, Zeilen 209-212] die Reminiszenz an schauspielhafte, unblutige Seegefechte zwischen den römischen Triëren eines Octavian und den ägyptischen Kriegsschiffen des Marcus Antonius und der Kleopatra deutlich.

Wie sehr diese Ereignisse das Handeln und die Mentalität der römischen Gesellschaft prägten, vermittelt uns eine Stelle bei Horaz, zu finden in einem an seinen Freund Lollius Maximus gerichteten Brief [30]: Horaz deutet darin an, dass Lollius und dessen Bruder sich auf ihrem Landgut die Zeit damit vertreiben, Jungen die Seeschlacht von Actium nachstellen zu lassen, natürlich im Kleinen und wohl ohne Waffengebrauch, jedoch mit Booten auf einem Gewässer; wie es scheint, ein Zeitvertreib müßiggehender, infantiler, wiewohl nach Jahren erwachsener Junker aus dem Kreis der begüterten Plebs, die ihre jungen Sklaven gegeneinander streiten lassen, dabei indes kaum geopfert haben werden. Als Teil der zeremoniellen Aktivitäten um Anchises' Begräbnis beschreibt Vergil eine zwischen vier Schiffen vor der Küste Siziliens – die Helden waren bei Drepanon gelandet, und Anchises erhielt auf dem Eryx ein Heroon – veranstaltete Wettfahrt. Der Kurs führt um ein Riff herum. Als Wendemarke steht der belaubte Ast einer Steineiche auf dem Felsen. Der Start wird mit der Tuba signalisiert, Zuschauer applaudieren, und das Geschehen wird mit viel Dramatik versehen: Kopf-an-Kopf-Rennen, ein über Bord gegangener Steuermann, Strandung eines Fahrzeuges. Der Gewinner der Regatta hatte die Wendemarke mit geringstem Raumverlust genommen, also das Verdienst eines optimal manövrierenden Skippers und seines Ruder-

Abb. 15 Rammsporn eines leichten Kriegsschiffes, 3.-1. Jahrhundert v. Chr. Deutsches Schiffahrtsmuseum, Bremerhaven. – (Foto R. Müller, RGZM; nach einer Kopie im Museum für Antike Schiffahrt, Mainz).

Abb. 16 Puteoli/Pozzuoli (Kampanien). Frühkaiserzeitlicher Reliefblock mit der Darstellung eines aphrakten Kriegsschiffes mit gedecktem Ausleger und drei Riemenreihen. – (akg-images).

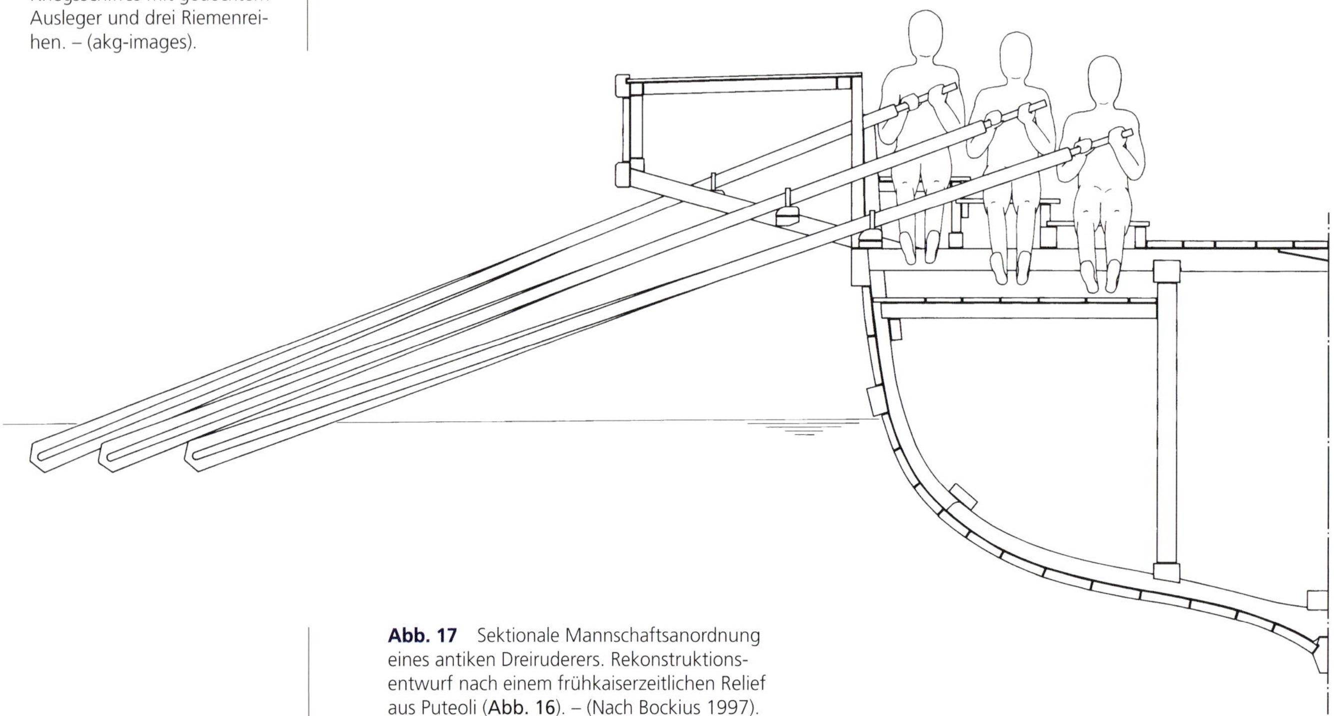

Abb. 17 Sektionale Mannschaftsanordnung eines antiken Dreiruderers. Rekonstruktionsentwurf nach einem frühkaiserzeitlichen Relief aus Puteoli (**Abb. 16**). – (Nach Bockius 1997).

Abb. 18 Pompeji, Casa delle Quadrighe, Peristyl. Fresko mit nilotischer Szene. Vergnügliche Dreisamkeit auf dem Ruderboot. – (Nach Pompei. Pitture e Mosaici VI [Roma 1996] 687 Abb. 8).

gängers. Überliest man die mythologischen und genealogischen Inhalte und die den Beteiligten in den Mund gelegte wörtliche Rede, gleichen Vergils Beschreibungen der Moderation einer Segelregatta unserer Tage [60].

Vergil projiziert zwar das Geschehen in eine ferne Vergangenheit, beschreibt aber die Ereignisse – er spricht von *certamina*/Wettkämpfen – sehr konkret aus einer für ihn lebendigen Perspektive: Da ist die Rede von vier Ruderschiffen mit schweren Riemen; die Fahrzeuge werden als Kriegsschiffe, zur Flotte gehörig klassifiziert; gemeint ist das für den Exodus von Troja nach Italien verwendete Geschwader (Verg. Aen. 5,114-115). Sie verfügen über Rammsporne mit drei Finnen (**Abb. 14, 2; 15**): *rostrisque tridentibus* (Verg. Aen. 5,143). Den militärischen Charakter der Fahrzeuge legen nicht zuletzt individuell zugestandene Epitheta und Eigenschaften nahe: Die *PRISTIS*/Meeresungeheuer ist *velox*/schnell; *CHIMAERA ingens*/gewaltig; *CENTAUR magna*/groß; *SCYLLA* schließlich ist *caerulea*/himmelblau, wohl zu verstehen als die Tarnfarbe römischer Kriegsschiffe (Veg. mil. 4,37). Besonders aufschlussreich sind die Zeilen 119-120: *CHIMAERA* ist besetzt mit einer jugendlichen Crew, im Schiff verteilt auf drei Ebenen. Die Bootsriemen sind in drei Reihen übereinander angeordnet – gemeint ist, wenn man das Fahrzeug von einer Seite betrachtet. Der Dichter hatte hier unzweifelhaft eine Triëre (lat. *triremis*) im Sinn (**Abb. 16-17**). Womöglich war Vergil Zuschauer einer anlässlich der Aktischen Spiele veranstalteten Regatta (S. 21).

Die Beliebtheit des Bootssports jenseits öffentlicher religiös-politisch motivierter Ereignisse findet beim jüngeren Plinius mit den Worten *omnis hic aetas... navigandi... studio tenetur* ihren Ausdruck [41]. Das liest sich wie ein auf Kräftemessen und körperliche Anstrengungen verzichtendes Freizeitvergnügen mit Spaßfaktor, das alle Altersgruppen der Gesellschaft erfasst hat, oder wie Familiensport; im konkreten Falle betrieben von Menschen in einer der nordafrikanischen Provinzen Roms, aber zweifelsohne als Zivilisationserscheinung zu verallgemeinern. Nichts anderes vermitteln uns Wandgemälde und Mosaikbilder aus römischen Gebäuden gehobener Wohnkultur, die teils in drastischer Deutlichkeit unbeschwertes Treiben von Jung und Alt auf dem Wasser, mal auf dem Nil, mal am Meer, illustrieren (**Abb. 18-19**). Sportlicher Wettstreit beinhaltete auch spielerische Akzente; beides konnte Akteure und Zuschauer gleichermaßen begeistern (Auson. Mos. [12], Zeilen 200-207).

Da verwundert es nicht, wenn der in Pergamon und Rom praktizierende griechische Arzt Galenos im 2. Jahrhundert das Rudern als Beitrag zur Fitness, zu körperlichem und seelischem Wohlbefinden, zur Stärkung der Schwachen und Rekonvaleszenten empfiehlt, als autotherapeutische Maßnahme, die bei ihm als pendantsportliche Betätigung in einer Reihe anstrengender Feldarbeiten zwischen Graben und Pflügen rangierte (Gal. de sanitate tuenda 79). Zuweilen wird sogar die Vermutung geäußert, dass in den staatlich kontrollierten römischen Jugendbünden (*collegia iuvenum*) auch rudersportliche Aktivitäten eine Rolle spielten. Aus der Überlieferung geht das nicht klar hervor, aber es spricht auch nichts dagegen. Durch sportliche Ertüchtigung und Teilnahme an Kampfspielen erhielt die 15- bis 17-jährige männliche Elite, seit Augustus in Anlehnung an die attisch-griechische Ephebie, in den Vereinen ihre militärische Vorbereitung auf den Dienst und die physische Voraussetzung für gehobene Posten in der Legion.

Abb. 19 Miniaturisiertes römisches Kriegsschiff als Vergnügungsfahrzeug. Ausschnitt aus einem Fresko in einem Gebäude in Rom beim Porto Fluviale. Wohl 1. Jahrhundert n. Chr. – (Nach Casson 1994).

Naumachie

Kommt dem Rudern in der römischen Gesellschaft eine gewisse Rolle zu als militärischem Exerzieren geschuldete Arbeit am Riemen, als privates Hobby der Besitzenden und Freien sowie als Teil sportlich begründeter Kampfspiele, sei es aktiv oder passiv, steht dem seit der Mitte des 1. Jahrhunderts v. Chr. die Inszenierung von Seegefechten gegenüber, die mit heiterer Unbeschwertheit und Harmlosigkeit wahrlich nichts mehr zu tun hatten. Politisch-militärische Entscheidungsträger veranstalten Vorführungen, gewöhnlich mit Anklängen an historisierendes »Reenactment«, die wiederholt gigantische Ausmaße angenommen haben. Zur Erbauung des Publikums fochten bewaffnete Besatzungen von Schiff zu Schiff oder wenigstens auf einem Schiff als schwimmende Bühne unter realitätsnahen Bedingungen des zeitgenössischen Seekriegs; wenn es die räumlichen Gegebenheiten und technischen Vorbereitungen erlaubten, unter Einbeziehung taktischer Manöver der Fahrzeuge. Die Überwindung des Gegners durch dessen Verletzung oder Tod nach Art der Gladiatorenspiele waren gemeinhin intendiert und bestimmten die schaustellerischen Effekte der römischen Naumachie. Ihre Akteure, *naumacharii*, galten als verurteilte Kriminelle, waren Kriegsgefangene oder andere Rechtlose, auf deren Leben es den Veranstaltern nicht ankam.

Was in dieser Weise erst für das spätrepublikanisch-kaiserzeitliche Rom galt, wurzelte im Hellenismus: In Erinnerung an die historischen Seesiege Athens, namentlich an die Überwindung der persischen Flotte vor Salamis und Mykale 480/479 v. Chr., scheint sich schon bei den Griechen die *naumachia* als historisierendes Kampfspiel entwickelt zu haben, wiewohl nicht in der später gebotenen blutrünstigen Weise. Scheingefechte attischer Kriegsschiffe bei Originalschauplätzen, ausgetragen nahe Salamis, lassen sich als wenig brutales Genre einer halb sportlich, halb schauspielerisch betriebenen Lobpreisung von Athens Ruhm und der ihm geneigten Götter vorstellen. Klar bezeugt und detailliert beschrieben sind sie hingegen nicht.

Für die Apollo geweihten penteterischen Aktia, von Augustus anlässlich seines Sieges über Marcus Antonius in der Seeschlacht bei Actium (2. September 31 v. Chr.) gestiftet, legen die Quellen den Verdacht nahe, dass gerade dort nachgestellte Schiffskämpfe auf dem Programm gestanden haben (S. 16-19). Die Spiele fanden ab 28 oder 27 v. Chr. alle fünf Jahre zum Jahrestag des Seesieges im benachbarten Nikopolis statt, der Stadt, die Augustus am Platz seines Truppenlagers gründete. In welchem Maße sich dabei fiktives Gefecht zu Wasser und auf sportlichen Agon ausgerichtete Ereignisse miteinander verwoben haben, gibt die dürftige Überlieferung zwar wiederum nicht preis. Es mangelt aber nicht an literarischen Indizien, gemäß denen man bis in die Spätantike hinein zumindest mit Seegefechten ohne finalen Realismus rechnen kann, in Szene gesetzt oder aktiv gespielt von privater Seite, sei es von Jugendlichen oder von Erwachsenen (Auson. Mos. [12]; Hor. epist. [30]).

Seit dem Ausklang der Republik waren es die Initiativen römischer Feldherren und Kaiser, die dem griechischen Wort *naumachia* / »Seeschlacht« seine ursprünglichen Bedeutungsinhalte zurückverliehen hatten. Wie es scheint, machten politisch-militärische Persönlichkeiten, Julius Caesar und der nachmalige Kaiser Augustus, den Anfang. Beide bedienten ihr Publikum mit beträchtliche Mittel beanspruchenden Aufführungen mit dem blutigen Stoff militärischer Auseinandersetzung zur See, ausgefochten mit verfügbaren Kriegsschiffen. Wenn auch nicht immer mit demselben Ausmaß an materiellem Aufwand und personellem Auftritt, folgten mehrere Kaiser des 1. Jahrhunderts ihrem Beispiel: Caligula (Suet. Cal. [51]) und Claudius (Suet. Claud. [52]; Tac. ann. [56]) jeweils einmal, Titus (Cass. Dio [22]; Suet. Tit. [54]) und Domitian (Cass. Dio [23]; Suet. Dom. [55]) jeweils zweimal; und auch Nero (Cass. Dio [18]; Suet. Nero [53]) richtete wenigstens eine Naumachie aus. Doch meint der Begriff bei Weitem nicht immer dasselbe.

Cassius Dio [15] überliefert eine besondere Form der römischen Naumachie, die zur Zeit der Bürgerkriege, während des Zweiten Triumvirats stattgefunden haben soll, ausgerichtet in der Straße von Messina, vielleicht in der Nähe von Punta del Faro, dem nordöstlichen Kap Sizili-

Abb. 20 Naumachie des Augustus, Rom. Rekonstruktionsbild. – (Nach Reddé/Golvin 2005).

ens (Auson. Mos. [12], Zeilen 214-215). Sextus Pompeius, Anführer der pompejianischen Partei und derzeit Flottenpräfekt (*praefectus classis et orae maritimae*), zwang im Frühjahr 42 v. Chr. militärische Gegner, eigentlich Landsleute, nämlich gefangen genommene römische Soldaten der caesarianischen Flottenabteilung Octavians, unter dessen Admiral Rufus in kleinen Holz- und Lederbooten gegeneinander zu kämpfen (Cass. Dio [15]). Das hört sich nach einer inszenierten Posse der Rache, nach Schmach und Häme an, nach dem Akt des Triumphes eines seiner Machtposition sicheren Hasardeurs, wird zugleich aber auch der Zerstreuung und zur Belustigung der siegreichen Truppe gedient haben. Wie ernst es bei dem Schauspiel zuging, ob es sich in dieser Weise überhaupt ereignet hat – allein Cassius Dio ist unser Gewährsmann –, wissen wir nicht.

Über Julius Caesar wird berichtet, er habe anlässlich seines Triumphes im Jahr 46 v. Chr. Schaukämpfe zwischen Kriegsschiffen zwei-, drei- und vierrangiger Ordnung geboten, ausgetragen auf einem beim Marsfeld gegrabenen künstlichen See, unter dem Motto »Tyrer gegen Ägypter« (Cass. Dio [14]; Suet. Iul. [48]). Ihm folgte kaum ein halbes Jahrhundert später Augustus, der zwecks Darbietung von Schiffsgefechten am rechten Tiberufer im *pagus Ianiculensis* eine 1200 × 18 000 Fuß große Wasserfläche anlegen ließ (Monumentum Ancyranum [6]; Cass. Dio [22]; Suet. Aug. [49]) (**Abb. 20**). Gewiss nicht erst unter Nero durch einen Stichkanal mit dem Tiber verbunden (Cass. Dio [21]), kamen während der augusteischen Naumachie 30 Zwei- und Dreiruderer sowie etliche kleinere Fahrzeuge mit rund 3000 Bewaffneten zum Einsatz (Tac. ann. [56]). Das rund 360 × 540 m große Gewässer wurde noch von den Kaisern Nero (Cass. Dio [21]) und Titus (Cass. Dio [22]; Suet. Tit. [54]) für Veranstaltungen genutzt. Domitian hat es noch einmal instand gesetzt (Suet. Dom. [55]), aber im frühen 2. Jahrhundert scheint die Anlage verfallen zu sein, da Sueton um ihre genaue Lokalisierung bemüht ist [49]. Unter Titus war das Becken von hölzernen Tribünen umgeben, und bei der Inszenierung eines Landungsunternehmens ist die Rede von einer kleinen Insel (Cass. Dio [22]). Bezieht man eine Notiz bei Plinius dem Älteren (nat. XVI 74,190; 76,200) auf jenen Platz, wonach hölzerne Installationen (*pons naumachiarius*) einem Brand zum Opfer gefallen waren und auf Anweisung des Tiberius mit Lärchenholz erneuert wurden, das er im fernen Rätien schlagen ließ, dann hat man schon für augusteische Zeit mit einer architektonischen Ausgestaltung zu rechnen, die über einen bloßen künstlichen See hinausgeht. Und wenn der *pons naumachiarius* einen hölzernen Steg meint, dann wird es sich dabei um eine Brücke über den Zufahrtskanal gehandelt haben, dessen Durchlass bei Bedarf demontiert werden konnte. Beiläufig sei erwähnt, dass die Wahl von Lärchenholz für wasserbauliche Strukturen an moderne Standards heranreicht.

Folgt man Frontinus´ Ansicht, dass die augusteische Anlage durch eine Wasserleitung gefüllt wurde (Frontin. aqu. 1,11; 22), deren Trinkwasserqualität ihm als minderwertig galt (Aqua Alsietina), hätte das Fluten des Sees mehr als eine Woche in Anspruch genommen – billigt man diesem mind. 1 m Wassertiefe zu und berücksichtigt man die mit täglich gut 16 000 m^3 vergleichsweise geringe tägliche Schüttungsmenge der Wasserzuführung. Allerdings weckt Frontinus' literarische Notiz noch aus anderen Gründen Skepsis, hätte doch ein Stichkanal zum Tiber gleichermaßen als Verkehrsweg für die Fahrzeuge wie zum Fluten des ausgehobenen Terrains dienen können.

Titus veranstaltete in der augusteischen Naumachie Kämpfe zu Schiff mit 3000 Mann unter dem Motto »Athener gegen Syrakuser«, verbunden mit einem amphibischen Unternehmen, worin er unter fiktiver Umkehr des Ausgangs der Dritten Sizilischen Expedition Athens 414/413 v. Chr. die »Insel Ortygia« erobern ließ, einst das Zentrum von Syrakus. Dabei mussten Angreifer eine Mauer erstürmen. Vor Titus nutzte Nero das künstliche Gewässer für pompöse Bankette, denen sich mit Wasserfahrzeugen ausgestattete aquatische Aufführungen ohne kämpferische Akzente anschlossen (Cass. Dio [21]).

Fanden Caesars und Augustus´ Schaukämpfe zu Boot und Schiff in der Metropole statt, ließ Claudius im Jahr 52 n. Chr. rund 100 km nordöstlich von Rom auf dem Fuciner See Triremen und Quadriremen gegeneinander auffahren (Tac. ann. [56]), laut Sueton 24 Triremen [52] – wenn es sich dabei um reguläre Fahrzeuge handelte, sind jedem der Kriegsschiffe allein für die Ruderbesatzung mindestens 150-200 Mann zuzubilligen, insgesamt also wenigstens 3600 Ruderer. Cassius Dio (epit. LXI 33,3) berichtet von 50 Schiffen auf jeder Seite, worin kleinere Fahrzeuge eingeschlossen sein mögen. Fern der Hauptstadt wurde Claudius´ gigantomanische Show unter dem Motto »Sizilier gegen Rhodier« mit viel Getöse sowie gewaltigem personellen und technischen Aufwand organisiert: Ein maschinell betriebener silberner Triton tauchte aus dem See auf und gab das Startsignal. Angeblich 19 000 dem Tod geweihte Komparsen hatten gegeneinander zu kämpfen, die durch Sicherungskräfte, artilleristisch bewaffnete Prätorianerkohorten, an der Flucht gehindert wurden. Publikum waren neben der kaiserlichen Familie, Höflingen und der Prätorianergarde nicht nur aus Rom angereiste Gäste und Zuschauer aus der Region, sondern auch Zehntausende von Arbeitern, die zuvor einen mehr als 5 km langen Stollen (Emissar) zur Entwässerung des Sees angelegt hatten, wie sich später zeigen sollte, ein unerreichtes Ziel.

Es wird kein Zufall sein, dass im nahe des heute verschwundenen Sees gelegenen Albe bei Avezzano, dem antiken Alba Fucens – einer Stadt im Gebirge, weit entfernt vom Meer und mehr als 1000 m über dem Meeresspiegel –, ein »Shiplover« die Silhouette eines Kriegsschiffes in das Podest vom Apollo-Tempel geritzt hat (**Abb. 21**). Das Graffito enthält die Beischrift *navis tetreris longa* (»vierrangiges Kriegsschiff«) und meint offenkundig eine Quadrireme (**Abb. 10. 22**). Die Darstellung birgt formale Elemente und Ausstattungsdetails, wie sie für Illustrationen römischer Kriegsschiffe des 1. Jahrhunderts typisch sind. Man mag sich darüber streiten, was mehr Wahrscheinlichkeit für sich beanspruchen kann: dass sich hier ein mit der Kriegsflotte vertrauter Zeitgenosse verewigt hat oder ein Zuschauer von Claudius´ spektakulärer Darbietung.

Schenkt man den Quellen Glauben, dann bestimmte Nero sein aus Holz gebautes Theater auf dem Marsfeld (Suet. Nero [53]; Plin. nat. XVI 76,200; Aur. Vict. V 3) als Austragungsort diverser aquatischer Lustbarkeiten, darunter auch eines Seegefechts »Athener gegen Perser«. Die Anlage soll mit Seewasser gefüllt worden sein, in dem sich Fische und Meerestiere tummelten (Cass. Dio [18]; Suet. Nero [53]). Freilich wurde nicht das hölzerne Gebäude unter Wasser gesetzt, sondern ein in der Arena ausgehobener, auf irgendeine Weise abgedichteter Teich.

Vorführungen mit skurrilen, aber wohl eher harmlosen Possen mit Haustieren ersannen auch die Berater des Titus als Vorprogramm einer Naumachie (Cass. Dio [22]). Unter ihm und dann erneut unter Titus´ Bruder und Nachfolger Domitian wurde das Kolosseum geflutet (Cass. Dio [22]; Suet. Dom. [55]), um an Bord besten-

Abb. 21 Alba Fucens/Albe (Abruzzen). Graffito auf dem Podium des Apollon-Tempels. – (Nach M. Guarducci, Alba Fucens. Graffiti nell'antico tempio sul colle di S. Pietro. Not. Scavi Ant. 8/7, 1953, 120 Abb. 6).

falls kleiner Fahrzeuge kriegsmäßige Treffen Mann gegen Mann zu präsentieren. Die Ereignisse, unter Titus anlässlich der Einweihung des Flavischen Theaters im Jahr 80 n. Chr., werden nicht zuletzt dem exotisch anmutenden Ambiente einer Wasserfläche innerhalb monumentaler Architektur und einer raffinierten Choreographie geschuldet gewesen sein und schlossen ebenso wie Neros Theaterinszenierung andere Programmpunkte ein. Martial [37] verherrlicht die Feierlichkeiten in seinem Liber spectaculorum.

Titus´ Festaufgebot sah als Finale Schiffsgefechte unter dem Motto »Korinther gegen Korkyräer« vor, angelehnt an die unentschiedene Seeschlacht beider Kontrahenten bei den Sybota-Inseln 434/433 v. Chr. Schon ein als Kampf charakterisiertes Schauspiel Caligulas unter Verwendung eines einzelnen Fahrzeuges in der Saepta Iulia (Cass. Dio [16]), einem von Agrippa geschaffenen Gebäudekomplex mit einen großen Innenhof umgebenden Portiken, auf dem Marsfeld zwischen Pantheon und Iseum gelegen, kann nicht zu den Großveranstaltungen mit schwerem Gerät und massenhaft eingesetzten *naumacharii* gezählt werden, wie sie von seinen Vorgängern und nach ihm von Claudius angeordnet wurden. Ein einzelnes Schiff, in einen gefluteten künstlichen Teich gesetzt, mag als schwimmende Kulisse gedient haben, auf dessen Oberdeck Zweikämpfe geboten wurden. Außerhalb Roms stehen besonders die Amphitheater im spanischen Mérida (**Abb. 23**) und in Verona im Verdacht, Schaukämpfe von Boot zu Boot oder, nach dem Beispiel in der Saepta unter Caligula, auf einem Fahrzeug gezeigt zu haben. Ihre Arenen verfügten über Becken und waren mit Wasserzu- und -ableitungen ausgestattet. Die geringen Abmessungen ihrer Bassins hätten freilich Aufführungen in nur sehr bescheidenem Rahmen zugelassen. Ähnliches gilt für die in römischer Zeit umgebauten szenischen Theater in Catania und Syrakus, deren Orchestren mit Wasser gefüllt werden konnten, was sich aus dem Nachweis hydraulischer Verputze ableiten lässt. Auch hier ist allenfalls mit schwimmenden Kulissen oder kleinen Wasserfahrzeugen zu rechnen, keinesfalls mit Kriegsschiffen, die diesen Namen verdient hätten, und schon gar nicht mit Aufführungen, die zum Rammstoß manövrierende Fahrzeuge in Szene setzten, wie man es den Naumachien außerhalb der Arenen zu konzedieren hat. Die technischen Voraussetzungen für Darbietungen innerhalb der Arenen werden dem flavischen Amphitheater in Puteoli (heute Pozzuoli) zugebilligt, wobei hier ebenso wie in einem späteren Ausbaustadium des stadtrömischen Kolosseums mit den ausgedehnten, zweistöckigen Hypogäen die Theaterarchitektur die Flutung der Anlagen kaum zugelassen hätte, es sei denn, Art und Umfang der Maßnahmen zur Veranstaltung einer Naumachie in einem Amphitheater werden hinsichtlich Art und Umfang allzu sehr überschätzt.

Mit Blick auf eine Passage bei Cassius Dio [19], der die mechanische Apparatur in Gestalt eines Schiffes erwähnt, wohl eine Attrappe, die sich wie von selbst zerlegt und wieder zusammenfügt, wird nicht jede literarisch überlieferte Naumachie im Theater des Mediums Wasser bedurft haben; folglich wurde dort auch nicht gerudert. Bühnentechnik (*pegma*) mit aus dem Untergrund emporfahrenden Versatzstücken, Tieren und Personen, die das römische Publikum besonders beeindruckte (Sen. epist. XIII 88,21-22; Apul. met. X 34,1-2; Suet. Claud. 34,2), setzte unterirdische Anlagen (Hypogäen), in erster Linie für die mit senkrecht gelagerten Winden betriebenen Aufzüge, voraus. Der auf Balken liegende Bretterboden einer in dieser Weise unterbauten Arena ließ sich nicht hinreichend abdichten, um dem Druck einer nennenswerten Wassermenge standzuhalten. Demnach verwundert es nicht, dass wir nach Domitian, dem der bühnentechnische Ausbau zugeschrieben wird, nichts mehr von Schiffskampf im Flavischen Theater hören.

Angesichts von Inszenierungen mit größeren Fahrzeugen an Schauplätzen, wie vor allem Theater oder künstliche Gewässer ohne Verbindung zum Fluss, versteht es sich von selbst, dass Rümpfe zuweilen über Land transportiert oder zerlegt und wieder montiert worden sein mussten. Militärisch motiviert, wenn es denn die Umstände erfordert haben, war das Heranschaffen selbst größerer Fahrzeugklassen über Land – eine im Altertum durchaus probate Praxis (z. B. Arr. an. VII 19,3). Von den in der Zeit zwischen Julius Caesar und Trajan zur Ausrichtung der Naumachie in der Hauptstadt geschaffenen künstlichen Gewässern oder zu flutenden Gebäuden war indes offenbar nur die *naumachia Augusti* unmittelbar vom Tiber her über einen Kanal zugänglich. Mit Baukörpern identische Veranstaltungsorte in Rom liegen mehrere Hundert Meter (*naumachia Vaticana*) bis zu 1 km Luftlinie (Flavisches Theater) vom Fluss entfernt, wohl zu weit weg, um hier mit dem Einsatz hochkarätiger, gar mehrreihiger Ruderfahrzeuge rechnen zu wollen. Überdies stellte die komplexe Architektur des Flavischen Theaters ein transporttechnisches Problem dar: Für das Einbringen größerer Objekte vom Zuschnitt eines Rumpfes von außen hätten sich

Abb. 22 Modell einer römischen Quadrireme. Rekonstruktionsentwurf von R. Bockius nach dem Graffito von Alba Fucens (**Abb. 21**). – M. 1:10. – (Foto V. Iserhardt / R. Müller, RGZM).

allein die beiden Zugänge zur Arena des Kolosseums in der Längsachse der Ellipse geeignet. Sie verengen sich von gut 4 m an den Arkaden der Außenseite des Gebäudes in ihrem radialen Verlauf bis zu den Torbögen beim offenen Durchlass im unteren Zuschauerrang um etwa 1 m, gerade groß genug für die uns bekannten Mannschaftsboote einfacher Riemenordnung (S. 43-57), aber keinesfalls für größere Ruderfahrzeuge vom Zuschnitt römischer Kriegsschiffe. Auf welchem anderen Weg als durch diese überwölbten Torgassen sollte bei einem Programmwechsel (Cass. Dio [18]) schwimmendes Gerät in die – selbstverständlich noch ungeflutete – Arena gelangen? Oder soll man sich dort bereitgestellte Kriegsschiffskulissen vorstellen, die aus vorfabrizierten Teilen gebaut wurden? Sämtliche Tor- und Zugangsöffnungen zum offenen Kampfplatz hin hätten temporär abgedichtet werden müssen. Solche Maßnahmen hätten schwerlich einem hohen Wasserdruck standgehalten, und weil auch das Fluten zweifellos eine gewisse Zeit dauerte, ist hier von eher geringen Wassermengen und folglich niedrigen Pegelständen auszugehen. Setzt man – um ein griffiges Beispiel zu wählen – 0,5 m Wassertiefe an, so hätte das einer Füllung mit wenigstens 1500 m^3 entsprochen. Das sind rund 0,15 ‰ der täglichen theoretischen Schüttung der zeitgenössischen stadtrömischen Trink- und Brauchwasserzuleitung. Dieser Wert sieht nach wenig aus, erhöht sich jedoch beträchtlich, auf etwa 3,6 %, wenn man die Zuflussmengen auf eine Stunde begrenzt. Diesen für einen Programmwechsel nicht eben kurzen Zeitabschnitt einmal hypothetisch unterstellt, hätte der zur Einspeisung ins Kolosseum in Betracht kommende Hauptwasserstrang der Aqua Claudia mit rund 191 000 m^3 täglicher Schüttung bzw. 8000 m^3 pro Stunde jedoch durchaus genügt. Die früher als Wasserlieferant vermutete gemauerte Zisterne Sette Sale wurde erst unter Trajan angelegt. Steht somit der Glaubwürdigkeit einer wiederholten Flutung des Flavischen Theaters nichts im Wege, ist angesichts dessen eingeschränkter Zugänglichkeit dennoch davon auszugehen, dass der Begriff »naumachia« in der römischen Wahrnehmung eher den Vorgang des Schauspiels und nicht den darin investierten Aufwand meinte, der ja auch in den Quellen apostrophiert wird, wenn er denn nennenswert erschien.

Dass Kriegsschiffe zerlegt und nach dem Transport wieder remontiert oder gar eigens für Veranstaltungen gebaut worden sind, galt in besonderem Maße für Claudius' Spektakel, der 24 mittelschwere Kriegsschiffe auf dem in rund 660 m Meereshöhe in den Abruzzen gelegenen Fuciner See auffahren ließ (S. 23) – wären nicht Reste des Entwässerungsstollens erhalten und kämen diese Nachrichten nicht von dem als zuverlässig geltenden Tacitus, möchte man sie nicht glauben. Dass die eingesetzten Fahrzeuge über den nach etwa 150 km bei Minturnae (heute Minturno) ins Tyrrhenische Meer mündenden Liris (Liri/Garigliano) herangeführt worden sein könnten, hat wenig für sich, schließlich war ja mit der missglückten Öffnung des Emissars auch die intendierte Schiffbarmachung des Flüsschens unerledigt geblieben. Des Kaisers Ingenieure und Pioniere werden also mit der Aufgabe betraut gewesen sein, für das monumentale Schauspiel Fahrzeuge über Land zu transportieren oder sie über das streckenweise aufgestaute Fließgewässer ins Gebirge zu befördern, sofern es sich nicht doch um Neubauten handelte. Mangel an Geld und Arbeitskräften war hier gewiss kein Hindernis.

So viel scheint gewiss: Die Naumachie beförderte die Schauer des Gemetzels zur See, wenn gegnerische Schiffe aufeinanderprallten und der Enterkampf mit blanker Waffe losbrach, zur Erbauung der Massen in die Hauptstadt; sei es ins Theater, sei es auf künstlich geschaffene, durch Tribünen und Zugangsarchitektur erschlossene Gewässer. Anders als die Gladiatorenspiele eher die Ausnahme als die Regel, boten sie dem Volk etwas Besonderes. Da bei solchen teils gigantischen Masseninszenierungen absichtsvoll Menschenleben geopfert wurden, verwischen sich, jedenfalls nach modernen ethischen Grundsätzen, die Grenzen zwischen Sportveranstaltung und pervertierter Volksbelustigung.

Das Rudern der Fahrzeuge, wo es denn überhaupt in nennenswertem Umfang möglich war, spielte angesichts des eingeschränkt verfügbaren Platzes zweifelsohne nicht mehr als eine die Authentizität des Gefechts suggerierende Rolle. Ob martialische Kämpfe im Theater auf beengtem Raum oder mehr Wasserfläche beanspruchende Rammangriffe und Entermanöver – de facto liefen jene Inszenierungen auf die Vernichtung Hunderter oder gar Tausender Menschenleben hinaus, bemitleidenswerter Kreaturen, die das kaum freiwillig zuließen. Geradezu zynisch und grotesk mutet es deshalb an, wenn Angehörige der Ravennatischen und der Misenischen Reichsflotte, inzwischen alles andere als kampferprobt, bei Naumachien unter den Flaviern »fachliche« Unterstützung oder gar Hilfsdienste leisteten, wie das Bedienen vom Sonnensegel im Kolosseum (SHA Comm. 15,6), während Kriegsgefangene oder Geächtete die fragwürdigen Aufführungen mit Verwundung, Verstümmelung und Tod bezahlen mussten.

Dass in dieser Situation zuweilen die Verzweiflung als kleineres Übel den Suizid suchte, wie es Seneca einmal erwähnt [45], hätte man sich denken können. Die über jene Vorgänge berichtenden Quellen sind allzu zahlreich und detailliert genug, um sie nicht grundsätzlich in Zweifel ziehen zu können. Die Geschehnisse aus dem Blickwinkel der Gegenwart zu verurteilen, macht keinen Sinn, solange sie sich nicht wiederholen.

»Ave Caesar, morituri te salutant!« Der in Lehrbüchern und populärer Literatur verbreitet Gladiatoren in den Mund gelegte Gruß wurde tatsächlich durch *naumacharii* an Kaiser Claudius gerichtet und lautete etwas anders (Suet. Claud. [52]). »Die dem Tod Geweihten« wussten, was für sie auf dem Spiel stand. Uns ist nicht bekannt, ob ein Kämpfender durch Überwindung eines Gegners sein Überleben garantieren konnte, wie es bei Gladiatoren Usus war, vielleicht sogar seine Freiheit wiedererlangte – einem *damnatus* stand das üblicherweise nicht zu. Womöglich wurden solche Spektakel nach gehabter Erbauung oder, wenn die Darbietungen an Reiz zu verlieren drohten, vom Veranstalter als beendet erklärt (Tac. ann. XII 56,3 [56]). Ob feste Regeln existiert haben, liegt im Dunkeln; wahrscheinlich eher nicht, denn die Naumachie scheint viele Facetten gehabt zu haben.

Die blutrünstigen, aus heutiger Sicht niedere Instinkte bedienenden Aufführungen dienten vornehmlich dem Amüsement des städtischen Mobs, waren aber freilich stets politisch motiviert. Seitdem sie unter Caesar und Augustus zu Großveranstaltungen geworden waren (Suet. Iul. [48]; Suet. Aug. [49]), wurde die Naumachie Teil kaiserlicher Propaganda, und es mag ihre Popularität gewesen sein, die spätere Kaiser zu Wiederholung und Nachahmung veranlasste, nicht nur zur Bekundung imperialer Macht, sondern auch der *liberalitas* eines Princeps, von dem das Volk Freigiebigkeit erwartete, hier in Gestalt splendid bereitgestellten Privatvermögens (*largitio*) oder öffentlicher Mittel für ganz extravagante Unterhaltung. Besondere profane oder religiöse Ereignisse boten den äußeren Anlass. Die feierliche Einweihung des Mars Ultor-Tempels im Jahr 2 v. Chr. (Vell. [59]) gehört ebenso dazu wie die Fertigstellung des durch den Monte Salviano geführten Emissars vom Fuciner See unter Claudius, nicht zuletzt auch Titus' Einweihung des Kolosseums im Jahr 80 n. Chr. und schließlich der 109 n. Chr. unter Trajan dedizierte Veranstaltungsbau [27]. Caesars Naumachie des Jahres 46 v. Chr. fand im Rahmen seines Triumphes über Gallien, Ägypten, Pontus und Afrika statt, ebenso Aufführungen Domitians und Trajans anlässlich ihrer Siege über die Daker.

Verschwendung und besonderer Anlass klingen noch in den Quellen des 3. und 4. Jahrhunderts an, die indes teils anekdotenhaft anmuten und inhaltlich zweifelhaft erscheinen: So sollen unter dem jungen Elagabal *navales circenses* auf Kanälen veranstaltet worden sein, die mit Wein gefüllt waren (SHA Heliog. [27]). Das liest sich wie ein Topos, der die Abneigung des um 360 n. Chr. schreibenden Historiographen gegen den Vertreter einer ungeliebten Epoche zum Ausdruck bringt. Dass Philippus Arabs anlässlich der Millenniumsfeiern der Stadt Rom durch Aushebung eines »Sees« für Wassermangel gesorgt habe (Aur. Vict. [11]), erscheint hingegen schon eher glaubhaft, aber viel ist mit der Notiz nicht anzufangen. Geht aus den spätantiken Quellen immerhin noch die Erinnerung an derartige Aufführungen hervor, erwähnen die *Fasti Ostiensis* des Jahres 109 n. Chr. Trajan als Stifter einer Naumachie [7]. Mit der inschriftlich genannten Einweihung verbindet man einen sehr großen Gebäudekomplex nordwestlich vom Hadriansmausoleum, der späteren Engelsburg. Nicht zuletzt aufgrund seiner Ausdehnung von 102 × 300 m wird der aus Retikulat- und Ziegelmauerwerk errichtete Bau mit der Naumachie des Trajan identifiziert, er könnte aber auch bereits unter Domitian begonnen worden sein. Wenn Cassius Dio Kaiser Domitian die Ausrichtung einer Naumachie »an einem neuen Schauplatz« bescheinigt [23], ist eher an ein größeres künstlich angelegtes Gewässer zu denken.

Trajan hatte im Jahr 109 n. Chr. über sechs Tage hinweg Schiffskämpfe mit 127 Paaren Zweikämpfer aufführen lassen, die sich allerdings gemessen an seinen im Rahmen der Munera gebotenen Gladiatorenauftritten bezüglich Dauer und personellen Aufgebots höchst bescheiden ausnahmen [7, Zeilen 15-16]. Eine weitere trajanische Naumachie könnte am 25. Juni des Jahres 112 n. Chr. stattgefunden haben, sofern die epigraphische Ergänzung eines beschädigten Wortes in den *Fasti Ostienses* (Jahr 112 n. Chr., Zeile 39) stichhaltig ist.

Eine Wiederholung der exorbitanten Spektakel der julisch-claudischen Epoche scheint nach Trajan, zumindest in der anfänglichen Größenordnung, propagandistisch nicht mehr opportun gewesen zu sein. Bei den Chronisten der Epoche klingt der Vorwurf der Verschwendung an, der allzu pompöse Veranstaltungen abseits vom Standard verpönte. Auch mag die Faszination der Massen für den Seekrieg verblasst sein, nachdem militärisch begründete Einsätze

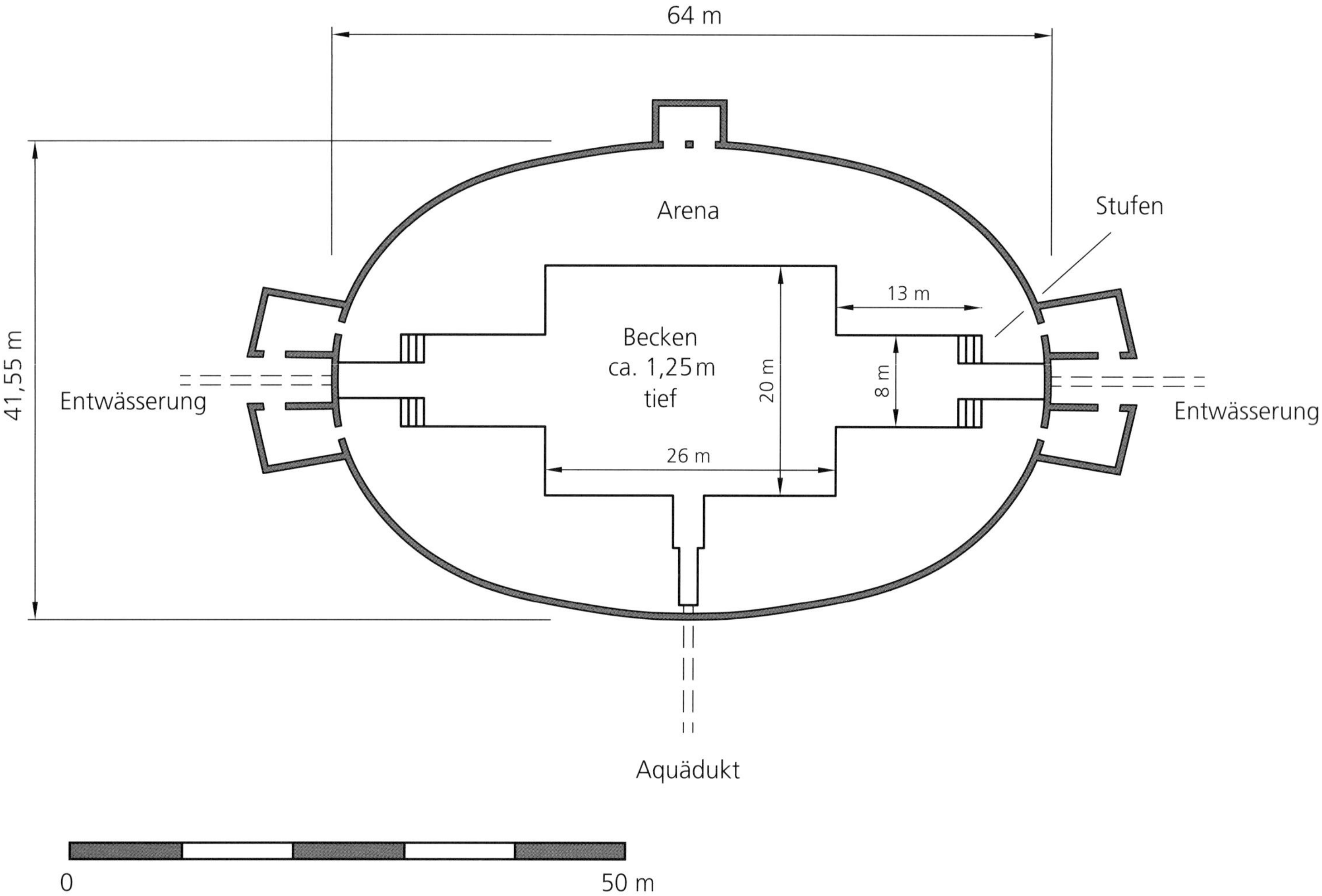

Abb. 23 Augusta Emerita/Mérida. Amphitheater. Schematisierter Grundriss der Arena mit eingetieftem Baukörper. – (Nach Coleman 1993 mit Änderungen).

der römischen Reichsflotte um Generationen zurücklagen, einer Flotte, deren Schiffsverluste nun nicht mehr kriegerischen Begegnungen zur See geschuldet waren, sondern Wind, Wetter und kaiserlicher Willkür (Tac. ann. XV 46,2). Dennoch, ohne dass es in puncto Aufwand die Aufmerksamkeit der antiken schreibenden Zunft erregt hätte, scheint das Schauspiel des Schiffskampfes im 2. Jahrhundert durchaus noch zum Repertoire dem städtischen Volk gebotener Zerstreuungen gehört zu haben. Dass es nach Trajan, wenn überhaupt noch geliefert, hinsichtlich der Zahl der Darsteller weniger splendid ausgefallen war, möchte man nicht zuletzt mit der Verfügbarkeit »dem Tod Geweihter« erklären. Die in den *Fasti Ostienses* verzeichnete Masse an Gladiatoren ist wohl nicht aus den Schulen professioneller Gladiatoren-Ausbilder angefordert worden. Vielmehr standen Trajan Kriegsgefangene aus seinen Dakerfeldzügen zur Verfügung, und nicht anders verhielt es sich mit Titus, der ein Jahrzehnt nach dem Jüdischen Krieg leicht 3000 Gefangene verheizen konnte; von diesem Krieg wird auch noch sein Bruder und Nachfolger Domitian profitiert haben, der die augusteische Naumachie wieder reaktiviert hatte. Rom wird dort viele Semiten sterben gesehen haben, wohingegen Trajan vorzugsweise mit Leuten aus Südosteuropa Vorlieb nahm.

Art und Umfang kaiserlich gewährter »Spiele« zu Wasser richteten sich wohl nach individuellen Vorstellungen. Ein kanonisches Muster ihrer Gestaltung gab es kaum, umso weniger als das Publikum ja mit frischen martialischen Genüssen gepackt werden wollte. So sind Darbietungen Caligulas und Neros mit Blick auf die Austragungsorte eher bescheidene Ausmaße zuzubilligen, insbesondere wenn man sie mit den von Caesar, Augustus und Claudius bewältigten Aufgeboten vergleicht. Dafür spricht nicht zuletzt die inhaltliche Knappheit der Quellen, die gerade hinsichtlich ihrer Charakterisierung von Caligulas und Neros Persönlichkeitsprofilen als sentenziös gelten. Dass auch im Rahmen vergleichsweise bescheidener Inszenierungen der beiden Kaiser Menschen zu Tode kamen, möchte man nicht in Zweifel ziehen. Doch lässt die schriftliche Überlieferung erkennen, dass das Klischee von der römischen Naumachie als amphibisches Greueltheater zur Erheiterung blutdürstiger Zuschauermassen, etwa nach dem unter Claudius gebotenen Beispiel, unter bestimmten Bedingungen relativiert werden muss. Was heute als verwerflich und menschenverachtend gilt,

1

2

Abb. 24 Miniaturprorae aus Bronze. Fundort unbekannt. Mainz, Museum für Antike Schiffahrt, O.42031 (**1**) und O.42249 (**2**). – (Fotos R. Müller, RGZM).

Abb. 25 Gadara, Ostjordanland. Geprägte Bronzemedaille. Revers mit Kriegsschiff, darüber NAYMA, darunter die Jahresangabe ΔKC (161 n. Chr.). – (Foto nach Ben-Eli 1975).

hatte nach römischer Rechtsauffassung freilich seine Richtigkeit: *Naumacharii* rekrutierten sich aus Rechtlosen, je nach Bedarf und Gelegenheit vor allem aus Geächteten, Kriegsgefangenen und, aus welchen Gründen auch immer, *ad ludos* verurteilten »Verbrechern«.

Die spezifisch römische Variante der Naumachie wurzelt eher in Italien als im griechischen Osten, wo der Begriff das reale Seegefecht meint [8], während ihn ein republikanisches Schriftzeugnis aus dem späten 2. Jahrhundert v. Chr. bereits mit Spiel gleichsetzt (Lucil. [35]), geradeso wie die Gladiatur aus dem italischen Leichenspiel hervorgegangen war.

Die Hinwendung Caesars, Augustus' und Claudius' zu schaustellerischen Darbietungen zum Thema Seekrieg vor der Kulisse Roms oder am Schauplatz eines staatlichen Großprojekts erklärt sich aus ihren historischen Rollen und ihrer Beziehung zur römischen Kriegsflotte. Verdankte Octavian/Augustus seine Position an der Spitze des Staates letztlich dem Ausgang der Seeschlacht vor Actium, machten auch für Caesar und Claudius erfolgreiche Flottenunternehmungen einen Teil ihrer politisch-militärischen Karrieren und Reputation aus – für Caesar insbesondere ein 56 v. Chr. gegen gallische Stämme erfochtener Seesieg und seine Flottenexpeditionen nach Britannien, für Claudius die gelungene Unterwerfung und Besetzung der Insel. Dagegen mochten sich die zu Lande erfolgreichen Flavier Titus und Domitian eher einer Tradition verpflichtet gesehen haben, der man sich als imperialer Feldherr im Rom des späten 1. Jahrhunderts nicht entziehen wollte angesichts der medialen Wirkung solcher Shows auf das Publikum, das vom bequemen Zuschauerplatz aus gefahrlos Anteil an der Größe Roms und der Machtfülle ihrer Herrscher nehmen konnte. Das nachvollziehbar imposant wirkende Schauspiel, wenn einzelne Wasserfahrzeuge oder ganze Geschwader größerer Kriegsschiffe auf engstem Raum auffahren und quasi hautnah Seegefechte mehr oder minder großer Dramatik veranschaulichen, wird nicht zuletzt auch durch seinen apparativen und technischen Aufwand beeindruckt haben. Dass die gegnerischen Parteien als Griechen, Perser, Phönizier und Ägypter, aber niemals als Römer und ihre Feinde identifiziert wurden, war festes Programm. Nur so ging man nicht das Risiko ein, dass bei realitätsnaher Ausrichtung der Kämpfe eine römische Niederlage die Begeisterung des großstädtischen Mobs gedämpft hätte. Weder Caesar noch Augustus konnten es sich leisten, historischen Stoff ihrer eigenen Seekriegsaktivitäten zu choreographieren; Caesar nicht, weil seine Überwindung nordgallischer Küstenstämme zur See so ruhmreich nicht gewesen ist und sich kleinere Flottenaktivitäten in der Adria während seiner Auseinandersetzung mit den Pompeiusanhängern gegen Römer, also gegen Volksgenossen gerichtet hat; für Augustus galt letzteres im Besonderen.

Lebte die Naumachie in der Spätantike noch im Gedächtnis fort als ein Erlebnis der außergewöhnlichen Art, geben ihre erstaunlich seltenen Darstellungen in der Numismatik nicht zwangsläufig zeitgenössische Spektakel wieder: Zur Zeit Marc Aurels in der Stadt Gadara in Judäa ausgegebene Bronzemedaillen (**Abb. 25**) mit der griechischen Beischrift NAYMA[XIA] werden von den einen als Reminiszenzen weit zurückliegender Ereignisse verstanden; für die anderen sind sie Indizien für im Jahr 160 n. Chr. auf dem Yarmuk, einem Nebenfluss des Jordan, ausgetragene Schiffskämpfe. Sollten dort tatsächlich inszenierte Seegefechte stattgefunden haben, wird der getriebene Aufwand bestimmt nicht an den dekadenten Massenbelustigungen für den stadtrömischen Pöbel in der älteren Prinzipatszeit zu messen gewesen sein.

Wie nicht zuletzt ihre literarische Rezeption darlegt, war die Wirkung einer Naumachie auf das Publikum beträchtlich, in Rom zweifellos größer als in den Provinzstädten, wo allenfalls nicht mehr als ein bescheidener Abglanz dessen unterstellt werden kann. Wenn man sich auch des Themas in der römischen Reichsprägung nicht propagandistisch bedient hat, so spiegelt sich doch im privaten Milieu die davon ausgehende Faszination durch das Motiv des Schiffsgefechts in der pompeijanischen Wandmalerei wider. Es liegt auf der Hand, dass nicht nur solvente Villenbesitzer aus den Vesuvstädten und anderswo ihrer Begeisterung einen bleibenden Ausdruck verleihen wollten, sondern auch die kleinen Leute daran Anteil hatten. Das eine oder andere Graffito mit der Darstellung eines Kriegsschiffes ließe sich als Ausdrucksform öffentlichen Interesses am Besuch der Naumachie interpretieren. Es ist auch gar nicht abwegig zu vermuten, dass zu solchen Anlässen Souvenirs verkauft worden sind: Kleine hohl gegossene, hinten offene Prorae aus Bronze, stilisierte Miniaturen der Bugsegmente Rammsporn bewehrter Kriegsschiffe (**Abb. 24**) kommen als Andenken in Betracht, da sie sich weder als Kompartiment hölzerner Schiffsmodelle noch als Teile der miniaturisierten Nachahmung eines prominenten Denkmals (*columna rostrata*) rekonstruieren lassen. Mangels Befestigungsspuren erschließen sich die Kleinbronzen als Einzelobjekte, deren mutmaßlicher Zweck allein aus dem Kriegsschiffsmotiv herzuleiten ist.

Literatur

Quellen und Abhandlungen zum Rudersport in Ägypten und bei den Griechen und Römern

Gardner 1881a; 1881b; 1890. – Bernert 1935. – Gardiner 1955. – Harris 1972. – Decker 1975; 1987; 1996. – Patrucco 1972. – Backhaus 1978. – Brein 1978. – Pleket 1978. – Lämmer 1986-1987. – Mihopoulou/Bakalou/Tzachou-Alexandri 1989. – Fortuin 1996. – Decker/Kurth 1999. – Trakadas in Vorb.

Lokalisierung, Architektur und Betrieb der römischen Naumachie

Ball Platner/Ashby 1929. – Bernert 1935. – Kienast 1966. – Ben-Eli 1975. – Vidman 1982. – Golvin 1988. – Golvin/Landes 1990. – Golvin/Reddé 1990. – Welch 1991. – Richardson 1992. – Coleman 1993. – Buzzetti 1996. – Fortuin 1996. – Liberati 1996. – Taylor 1997. – Beste 1999. – Gatti 1999. – Gabucci 1999. – Coarelli 2000. – Hönle 2000. – Harmanşah 2002. – Reddé/Golvin 2005. – Berlan-Bajard 2006. – Cariou 2009.

Abb. 26 Experimentelle Replik »Victoria« eines Mannschaftsbootes vom Typ Oberstimm bei einer Testfahrt auf dem Ratzeburger See. – (Foto Ch. Schäfer).

Abb. 27 Experimentelle Replik »Victoria« eines Mannschaftsbootes vom Typ Oberstimm bei einer Testfahrt auf dem Ratzeburger See. – (Foto Ch. Schäfer).

Boot und Mensch

Wie wiederholt ausgeführt, gibt die schriftliche Überlieferung Auskunft über die Hintergründe antiken Rudersports, über dessen entweder kultische oder profane Wertigkeit sowie über dessen Bedeutung in Staat und Gesellschaft. Nicht selten wird auch deutlich, dass man sich gemeinhin gar keines spezifischen Sportgeräts bediente, es sei denn, man deklariert private, individuell beauftragte »Pleasure boats« als solche. Je nach Bedarf und Möglichkeiten nutzte man vorhandene, freilich dafür geeignete Fahrzeugbestände, einerseits Kriegsschiffe diverser Art und Größe, andererseits zweifelsohne auch Boote ziviler Verwendung. Ruderfahrzeuge existierten in der mediterranen Welt in großer Vielfalt, mit ganz verschiedener funktionaler Bestimmung, diversen nautischen Eigenschaften und unterschiedlicher Reviertauglichkeit. Die äußere Gestalt der Fahrzeuge und insbesondere ihre Betriebsstrukturen werden in den literarischen Quellen allenfalls gestreift, gewöhnlich übergangen; oder die Texte konfrontieren uns mit einem vom zeitgenössischen Leser besser verstandenen Vokabular, mit Namen, die uns bestenfalls vage Vorstellungen vermitteln können, wie klein oder groß, einfach oder prächtig man sich ein Boot oder Schiff zu denken hat. Um sich davon ein wenigstens annähernd zutreffendes Bild machen zu können, bedarf es der Kenntnisnahme antiker Darstellungen – wenngleich sich aus der Abbildung eines Bootes oder Schiffes und seiner Einbindung in Szenarien nur selten erschließt, welcher individuelle Fahrzeugtyp denn auch jenseits von zeremonialer, kommerzieller oder militärischer Verwendung sportlich genutzt wurde (**Abb. 14. 18-19**). Überflüssig zu erwähnen, dass die illustrierten Typen selten oder gar nicht als materielle Fahrzeugreste gefunden wurden bzw. sich als Wracks aufgrund gemeinhin dürftiger Erhaltung kaum einmal identifizieren lassen.

Noch schwerer fällt die Einschätzung der für antike Boote und Schiffe gültigen ruderphysikalischen Bedingungen im Zusammenspiel mit biomechanischen Abläufen, die nicht in vollem Maße auf rezente Verhältnisse zu übertragen sind. Etwa bietet die gegenüber heutigen Europäern kleinere Statur antiker, namentlich mediterraner Menschen andere Parameter, nicht zuletzt auch die starren, aber strukturell sehr vielfältigen Rudersysteme des Altertums. Um sie alle en detail zu begreifen, bedürfte es der räumlichen Vermessung solcher Fahrzeuge einschließlich ihrer antriebstechnischen Einbauten und Zurüstung. Lassen sich Kriegsschiffe höherer Ordnung wie die eingangs behandelten Kampfschiffe mit zwei bis drei Riemenreihen ohnehin nur literarisch und ikonographisch erschließen, haben wir uns grundsätzlich mit dem zu begnügen, was der Zufall der archäologischen Überlieferung hinterlässt. Das trifft für Bilder und originäre Schiffsfunde gleichermaßen zu, für erstere aber im Besonderen. Hier bleiben selbst bei günstigsten Konditionen Fragen offen. Um es an einem Beispiel zu erläutern: Ein als Primärquelle nicht mehr verfügbares Ruderfahrzeug in Gestalt eines zeitgenössischen Kunstwerks morphologisch und betriebstechnisch zu erfassen, genügt nicht, selbst wenn das Monument aussagekräftige Charakteristika vermittelt; wir sehen gewöhnlich nur die äußere Hülle, aber weder die Strukturen im Rumpf noch zierliche, nicht abbildungswürdige oder durch Verlust ursprünglich vorhandener Bemalung fehlende Accessoires. Letztere lassen sich zuweilen mehr oder minder erschließen, indem Details mit anderen bildlichen Darstellungen oder Denkmälergattungen verglichen und ergänzt bzw. rekonstruiert werden, sodass man durchaus Nutzen aus einer Sekundärquelle ziehen kann. Nur haben wir es gerade bei einem Ruderfahrzeug mit einem konstruktiv und, soweit es seinen Rumpf betrifft, auch schiffsgeometrisch komplexen Gebilde zu tun, bei dessen funktionaler Bewertung die Kenntnis annähernd exakter Maße, Anordnungsschemata und Proportionen entscheidende Faktoren darstellen. Die Auswertung antiker Schiffsbilder kann demnach lediglich ergänzend zur Rekonstruktion beitragen.

Dennoch fehlt es bei Sekundärquellen nicht ganz an schiffsarchäologisch verwertbaren Daten, die gewisse Aufschlüsse bieten können über den Wirkungsapparat von Beschlägen, Gerät und Mobiliar sowie die Arbeitsbedingungen der Mannschaft. Eine zum Verständnis antiker Riemensysteme überaus wichtige

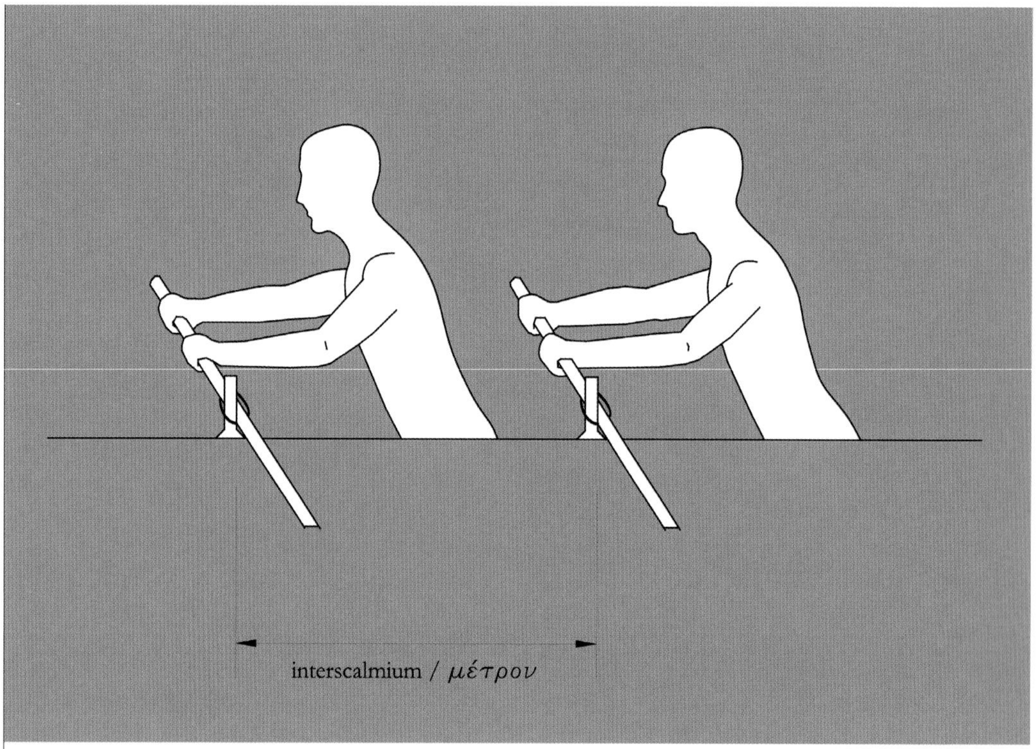

Abb. 28 Interscalmium. Nominell zwei Ellen lange Distanz zwischen zwei Riemendollen nach Vitruv (I 2,21-24).

Notiz findet man bei Vitruv. Er nimmt an einer Stelle [61] anlässlich seiner wissenschaftlichen Durchdringung von Symmetrie, Modulierung und Proportionen beiläufig Bezug zum zeitgenössischen Kriegsschiff: *...navibus interscalmio quae* διπηχυαια *dicitur* (...). Der Dollenabstand (*interscalmium*) wird mit διπηχυαια näher charakterisiert, genau genommen sogar beziffert (**Abb. 28**). Das hier gewählte griechische Fremdwort meint nämlich »zwei Ellen lang«; das sind drei Fuß. Die zeitgenössische Kalibrierung des neuattisch-römischen Maßsystems eingesetzt, entspricht jene Strecke knapp 89 cm. Das scheint eine Norm gewesen zu sein, an der sich die Konstrukteure antiker Kriegsschiffe orientierten – 89 cm als fixes Streckenmaß, abgesteckt jeweils zwischen Dollen, Duchten und Stemmvorrichtungen. Ein so knapp bemessenes Längsmodul zur Unterbringung der Ruderer in einer Riemensektion lässt die ergonomischen Bedingungen in den Rudersektionen erahnen. Allerdings konnte man sich ja ohnedies denken, dass auf Kriegsschiffen mit Platz gegeizt wurde, um möglichst viele Ruderer in einem Rumpf unterbringen zu können.

Dazu ein Beispiel: Ergometer-Messungen auf der wissenschaftlich begründeten Replik einer attischen Triëre des 5./4. Jahrhunderts v. Chr. mit zweimal drei Mann in jedem der 89 cm langen Unterbringungsmodule ergaben bei einem 90-Sekunden-Sprint für Männer gemittelt gut 300 W Leistung, bei anderen Tests und über Minuten hinweg rund 180 bzw. 195 W; verglichen mit dem, was im modernen Leistungssport erzielt wird, ist das eher bescheiden. Hätte der Konstrukteur eines solchen Schiffes sein Unterbringungssystem um gerade jeweils 3 cm pro Luderermodul gespreizt, also von 89 auf 92 cm verlängert, so fehlte dem Leistungspotenzial des Fahrzeugs unter den genannten Bedingungen per Saldo ein Modul mit 1,1-1,8 kW Leistung. Ein so bemessener Leistungsverlust ist nicht eben gering zu veranschlagen, berücksichtigt man, dass unter den genannten Bedingungen die Besatzung gerade etwas mehr als 30 kW/h (170 Ruderer × 180 W) oder gut 41 PS Leistung erzeugt. Aus heutiger Sicht erscheint das in der Summe ziemlich wenig zu sein für ein weit über 30 m langes Schiff mit nicht viel weniger als 40 t Einsatzverdrängung, dessen von den Chronisten immer wieder genannte Eigenschaft seine Schnelligkeit gewesen ist. Tatsächlich war unter den gegebenen Verhältnissen Muskelenergie kaum noch zu potenzieren; jede Steigerung der Besatzungsstärke hätte in der konstruktiven Vergrößerung solcher Fahrzeuge resultiert und dadurch die Energiebilanz negativ beeinflusst. Bei der Beurteilung solcher Parameter muss freilich bedacht werden, dass der Wirkungsgrad eines Riemens zwar den einer Schiffsschraube übertreffen kann, beim Rudern eingesetzte Muskelenergie jedoch intermediär als Vortrieb wirkt, zugleich Reibung überwinden muss und durch Körperbewegung verzehrt wird. Überdies wird die Fahrt eines Schiffes bekanntlich durch eine Vielzahl von Faktoren beeinflusst, nicht nur durch hydrostatische und konstruktivtechnische Konditionen, sondern auch durch Trainingsstand und Übung der Mannschaft. Wie auch immer, es musste dem planenden Konstrukteur jener Einheiten auf jeden Mann ankommen, sollte das Wehrgerät den taktischen Erfordernissen zeitgenössischer Seekriegsführung gerecht werden.

Das literarisch bezeugte Riemenmodul von knapp 89 cm möchte man als einen Standard interpretieren, als Richtwert, dessen schiffbauliche Umsetzung nicht ohne einen kleinen Toleranzwert gelungen sein wird. Oder der verantwortliche Konstrukteur legte nach sorgfältiger Erwägung der einsatztechnischen Bedingungen und Ziele einige wenige Zentimeter zu, ähnlich wie die Bemessung von Kraftfahrzeuginnenräumen mit den Generationen »gewachsen« sind, ohne dass die Füße der Fahrzeugführer den Kontakt zu den Pedalen verloren hätten. Normungen mit in Kauf genommenen Abweichungen spielen auch bei der Bemessung von Sitzraum bzw. der Sitzanordnung in Bussen, Fahrgastschiffen und Flugzeugen eine Rolle, obwohl sie dort natürlich primär wirtschaftlich bedingt sind.

Wir kennen eine kleine Zahl offener Ruderfahrzeuge des 1.-4. Jahrhunderts, gefunden in Italien, in den römischen Provinzen diesseits der Alpen und im unbesetzten Germanien, die die literarische Modulierung zu bestätigen scheinen, zugleich aber auch relativieren. Dabei handelt es sich durchweg um Vertreter einfacher Riemensysteme mit ausnahmsweise einem, sonst stets zwei Mann pro Längssektion, also mit monerischem Antriebsapparat. Hier fällt auf, dass durchaus auch Mannschaftsboote mit Dollen- bzw. Duchtabständen von 1 m und mehr existiert haben. In der Masse rangieren die gemessenen Strecken jedoch zwischen 0,9 und 1,0 m (**Tab. 1**). Nur zum Vergleich: Eine Abhandlung über traditionelle Arbeitsboote auf den Britischen Inseln veranschlagt für eine hintereinander sitzende Riemenbesatzung jeweils 48 Inch lange Raumeinheiten, also knapp 1,22 m. Der literarisch erschlossene Wert und die archäologisch überlieferten Strecken, wie sie an vermessbaren Wracks gewonnen werden, fallen dagegen um 20-30% kürzer aus. Wenn auch in Rechnung zu stellen ist, dass die Körpergröße des Menschen in der Antike den rezenten Durchschnitt deutlich unterschritten hat (S. 59), liegt die planerische Intention offen zutage: Verdichtung freisetzbarer Muskelenergie durch Mannschaftsverteilung auf möglichst engem Raum. Diese Prämisse gilt natürlich nicht für geruderte Arbeitsboote der jüngeren Vergangenheit.

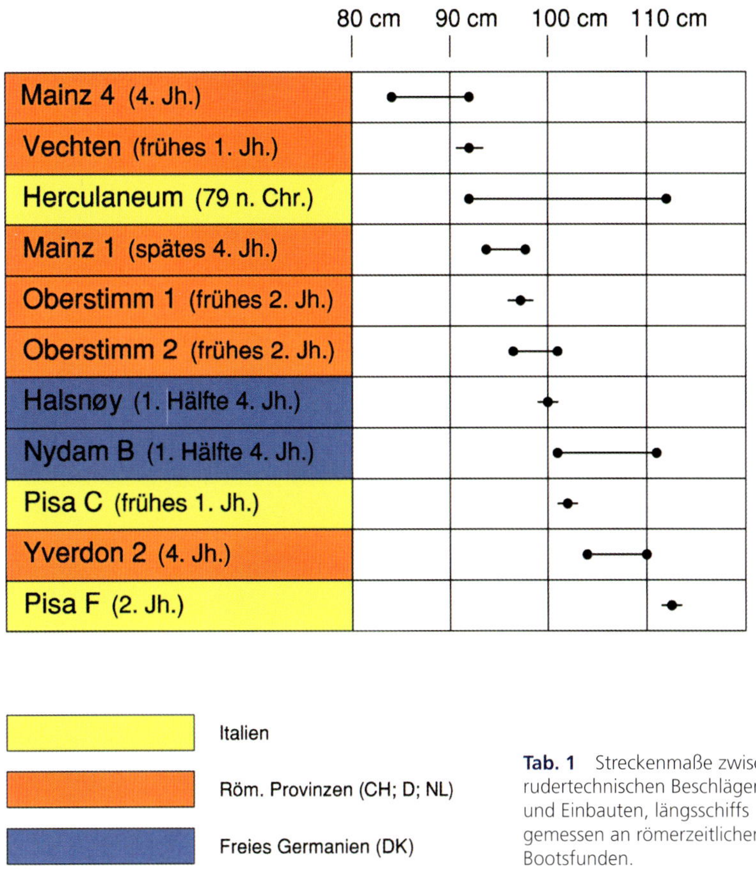

Tab. 1 Streckenmaße zwischen rudertechnischen Beschlägen und Einbauten, längsschiffs gemessen an römerzeitlichen Bootsfunden.

Für Rudersysteme höherrangiger Kriegsschiffe mit zwei oder mehr Mann an einem Riemen, d. h. mit vergleichsweise langen Innenhebeln, ist angesichts solch begrenzter Aktionsräume aus moderner Sicht mit Konflikten zwischen Mensch, Gerät und ruderspezifischen Einbauten zu rechnen. Aber mit der Enge war vermutlich auszukommen; man schloss den bestmöglichen Kompromiss zwischen Raumangebot und Effizienz. Vermutlich wurde mit kurzen, harten Schlägen gerudert, wie das für Wikingerfahrzeuge des 9.-11. Jahrhunderts mit zuweilen extrem kurzen Ruderermodulen naheliegt und experimentell praktiziert wird. Das Zugeständnis läuft dort auf weniger Raum greifende Durchzugssektoren hinaus und erweist sich gerade bei rauem Wasser als vorteilhaft. Freilich liefert die griechische Literatur einen ganz anderen Fingerzeig. So ließen die zwar prinzipiell starren Riemensysteme mit fest installierten Dollen, Duchten und Stemmvorrichtungen doch so viel Spielraum, dass durch spezifische Bewegungsabläufe relativ große Riemendurchzugssektoren erzeugt wurden. Wie Quellen zum 5. Jahrhundert v. Chr. und noch jüngerer Überlieferung zu entnehmen ist, gehörten gewisse Gegenstände zur individuellen Ausrüstung eines Ruderers, für die er wahrscheinlich selbst verantwortlich zeichnete und die zumindest auf Kriegsschiffen individueller Besitz gewesen sein mögen. Dazu zählte neben dem mutmaßlich ledernen Stropp zum Anbändseln des Riemens an der Dolle (τροπός) auch ein Kissen (ὑπηρέσιον) bzw. eine gleitfähige Sitzunterlage (Papyrus [1]; Isokr. or. [31]; Plut. [42]; Thuk. [57]). Dass ein Kissen der Bequemlichkeit an Bord gedient hatte, wird man angesichts der auf antiken Kriegsschiffen herrschenden Verhältnisse ausschließen können. Vielmehr scheinen attische Ruderer auf ihren Ruderbänken nicht wie fest gegossen gesessen, sondern die Flexibilität der Sitzauflage, ob nun mit dieser auf der Ruderbank rutschend oder nicht, im Rahmen des Möglichen zur Optimierung der Körperarbeit genutzt zu haben, ähnlich wie Sportruderer in England, Kanada und den USA um 1870 vor der Einführung des Rollsitzes auf ihren statischen Sitzeinrichtungen den »Gleitschlag« übten, indem sie buchstäblich über eine längliche hölzerne Sitzfläche glitten (**Abb. 29**). Die Motive waren damals und im Altertum dieselben, obwohl sich die räumlichen Konditionen unterschieden haben mussten, ergab sich doch auf einem antiken Dreiruderer der Grad an Bewegungsfreiheit aus der konstruktiven Bemessung eines Fahrzeuges, dessen Bewegungsräume zweifelsohne kompakter gehalten waren als die Verhältnisse auf einem nach allen Seiten hin offenen Skiff des 19. Jahrhunderts.

Wenn über die frühneuzeitlichen Galeeren mediterraner Staaten berichtet wird, dass sich Teile der Besatzung eines Riemens nach jedem Ausheben des Blattes von ihren Ruderbänken erhoben, um den Riemen wieder in die Auslage zu bringen – die Technik war bereits Ruderern im pharaonischen Ägypten vertraut –, so verdeutlicht das, wie trainierte Mannschaften durch synchrone Bewegungen und Körperarbeit Betriebsabläufe auf engstem Raum und unter exotisch anmutenden Bedingungen zu gewährleisten imstande waren. Wenn es hier auch um die Schlagleute und ihre nächsten Nachbarn an mehrfach bemannten Riemen ging, deren überlange Holme in einem durch Oberkörper und Arme nicht mehr zu bewältigenden Sektor oszillierten: In dieser oder ähnlicher Weise dürfen wir uns auch das Wirken des antiken Ruderers vorstellen, dessen individuelles Verhalten in entscheidendem Maße an der Schnittstelle Mensch-Inventar zu kompensieren imstande war. Über Rudertechniken gäbe es viel zu sagen – und zu lesen. Hier bietet die literarische Überlieferung viele interessante Details, denen wir nicht zuletzt das Verständnis der komplexen Riemensysteme verdanken. Einmal war sogar die zotige Anspielung eines beliebten athenischen Komödiendichters auf Körperausdünstungen der auf engem Raum und auf unterschiedlichen Levels untergebrachten Ruderbesatzungen Gegenstand analytischen Scharfsinns (Aristoph. [9]).

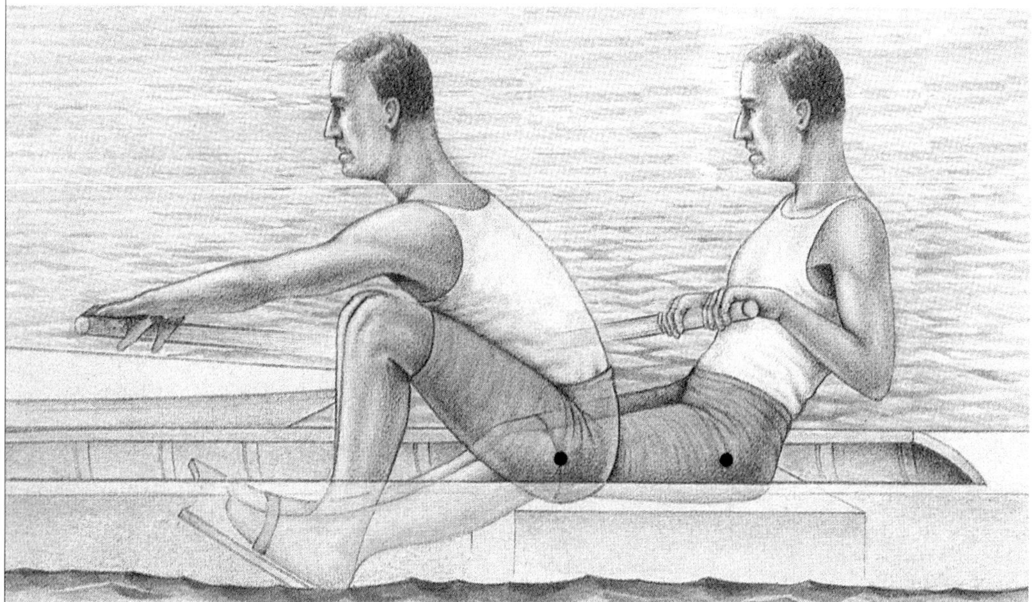

Abb. 29 Sportriemenboot des späten 19. Jahrhunderts vor der Einführung des Rollsitzes mit auf einer festen Unterlage gleitendem Ruderer. Schematisierte Darstellung. – (Umzeichnung nach Hale 1996).

Rudertechnische Standards

Bei der Sichtung antriebsspezifischer Fittings und Ausstattung erklärt sich vieles von selbst; anderes lässt sich erschließen. Es würde hier zu weit führen, die Methodik und Umstände im Einzelnen zu begründen. Überdies überlagern sich Informationen verschiedener Quellengattungen zuweilen gegenseitig, und es bedürfte langer Argumentationsketten und Abwägungen, ob Unterschiede etwa chronologisch bedingt sind oder durch schüttere Überlieferung verursacht wurden. Man stößt bei genauerem Hinsehen auf so manches Detail, das thematisch von Interesse ist.

So gibt es etwa Hinweise darauf, dass Schiffsriemen (κώπαι; *remi*) am Holm, nahe beim Griff mit Bleimanschetten balanciert worden sind. Riemen wurden verbreitet an zapfenförmigen Dollen (griech.: σκαλμόι; homer.: κλείσες) geriggt, vermutlich mittels gespleisster Tauwerksschlingen (Grummets) oder an Stropps (τροπόι; τροπωτηόι; *strophia* [57; 62]), die mit leicht lösbaren Knoten versehen waren, am Widerlager horizontal und vertikal drehbar befestigt. Gemäß schiffsarchäologischen Befunden, antiken Darstellungen und philologisch-literarischen Indizien hingen die Riemen im mediterranen Ruderfahrzeug üblicherweise bugwärts der hölzernen Dollen (**Abb. 30; 31, 1**), sodass ein Ruderer den Riemenschaft beim Durchzug des Riemenblattes durch das Wasser ein wenig von der Dolle weg in den Stropp zog (Ausnahme: **Abb. 41**). Das minderte den Abrieb und verlängerte so die Lebensdauer von Dollen und Riemen. Handelte es sich hierbei durchweg um pflockartige Dollkonstruktionen (**Abb. 30-32. 46**), bevorzugte der germanische Bootsbau der römischen Kaiserzeit, den Riemenantrieb erst vergleichsweise spät aufnehmend, aus Gabelholz (**Abb. 33, 1**) geformte oder als Bossen aus einem massiven Dollbord überstehende Dollen (**Abb. 33, 2**), an denen beim Vortrieb fest anliegende Riemen angebändselt wurden. Funde aus dem südjütischen Nydam-Moor sowie aus Schweden und Norwegen bieten die ältesten Belege (**Karte 3**) für eine Tradition, die in Skandinavien bis ins 19. Jahrhundert fortlebte.

Hochbordige Rümpfe waren im Altertum mit runden oder oblongen Riemenpforten (θαλαμίαι) versehen, binnenbords ergänzt um azentrisch an der Bordwand montierte Widerlager (**Abb. 30**) – die beträchtlich langen Riemen großer Kriegsschiffe von binnenbords durch die Öffnungen zu schieben bzw. wieder einzuziehen, bedingte hinreichend Raum im Rumpf, und natürlich mussten die Querschnitte der Bordwanddurchlässe auf die Breite der Riemenblätter abgestimmt sein. Wo nötig, waren die Riemenpforten mit außen aufgenagelten flexiblen tüllenartigen Dichtungsmanschetten (ἀσκώματα; *folliculi*), wohl aus Leder, vielleicht aber auch aus geöltem Gewebe, versehen, die bei hoch gehender See Wassereinbruch zu vermeiden halfen.

Schon für das altägyptische Ruderschiff belegt (**Abb. 4. 36**), lassen sich noch für die Spätantike (S. 53) am durchbohrten Dollbord hängende Tauschlingen erschließen (**Abb. 34**). Für die Riemenblätter (πτέρυγες) zeichnen sich ikonographisch erhebliche Form- und Formatsunterschiede ab; für die römische Kaiserzeit ist verbreitet von einteiligen Riemen mit aus dem Schaft hervorgehendem Blatt auszugehen (**Abb. 13. 16. 19. 34. 37**), doch sind die früher verbürgte Mehrteiligkeit (**Abb. 7, 2**) sowie die morphologisch akzentuierten, vom Schaft abgesetzten Blattformate (**Abb. 7. 14**) auch noch zur

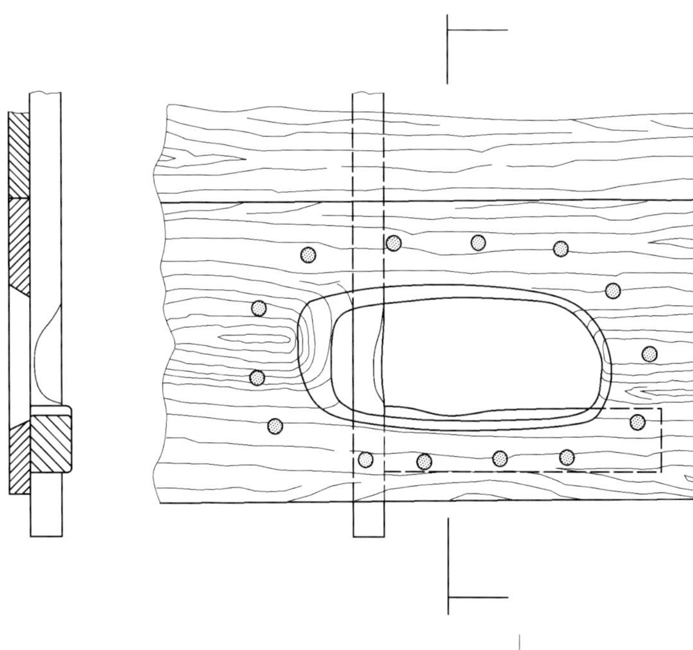

Abb. 30 Pisa, nave C. Frühkaiserzeitliches Ruderfahrzeug mit hochbordigem Rumpf und durch Pforten gesteckten Riemen (vgl. **Abb. 51-52**). Riemenpforte mit binnenbords montierter Dolle und aufgesetzter Riemenauflage. Außenseite mit Nagelspuren der Befestigung einer Dichtmanschette. – (Umzeichnung nach Camilli/Setari 2005).

1

2

Abb. 31 **1** Mainz, Wrack 1 (Ausschnitt). Massives Dollbord mit halbrunder Riemenauflage und Rest eines eingezapften Dollpflocks. – **2** Riemenlagerung am spätantiken Ruderfahrzeug Mainz, Typ A, rekonstruiert nach Maßgabe originaler Beschläge an Mainz, Wrack 1. – (Fotos R. Bockius).

1

2

Abb. 32 **1** Mainz. Mehrteilige Dollkonstruktion mit Riemenauflage und gezapftem Pflock, ursprünglich montiert im Spantzwischenfeld eines Ruderfahrzeuges. Dislozierter Fund aus Wrack 2 (Foto R. Bockius). – **2** Pisa. Dollpflock. 1. Jahrhundert (nach Sonetti 2001).

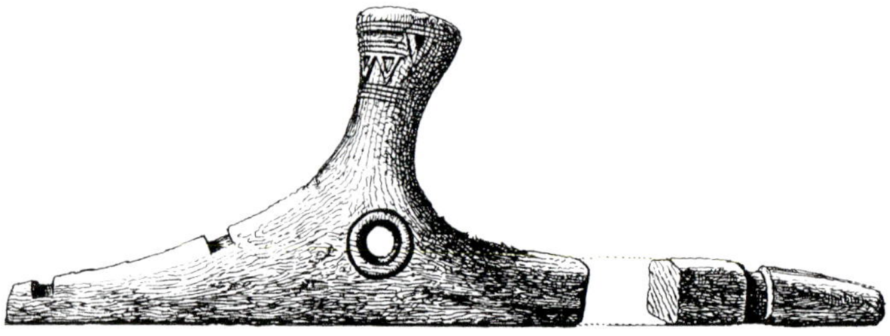

1

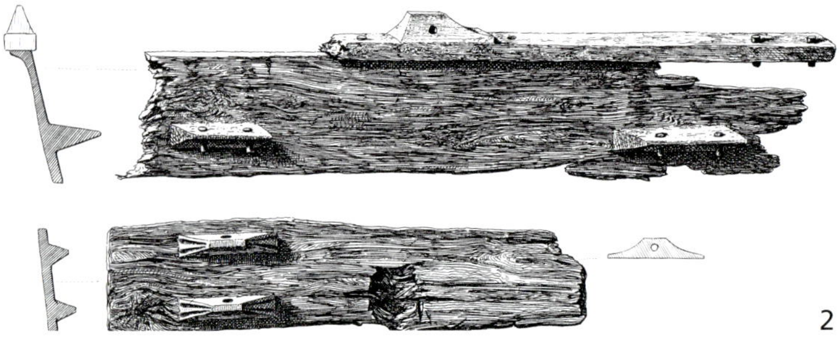

2

Abb. 33 Nydam-Moor bei Øster Sottrup (Südjütland): **1** gabelförmige Riemendolle, zu Boot C. 1. Hälfte 4. Jahrhundert. – **2** Reste des Dollbords von Boot A. 190 n. Chr. – (Nach Engelhardt 1865).

römischen Kaiserzeit gängig, zumindest in den Provinzen und am Binnenfahrzeug (**Abb. 37, 2; 39**). Erhaltene Originale des im westlichen Ostseeraum erst zur römischen Kaiserzeit aufkommenden Bootsriemens, einteilig geformt aus massiver Esche oder Ahorn, zeigen die bis in die Gegenwart gebräuchliche Profilierung (**Abb. 38**). Duchten (ζυγόι), nur höchst selten als originales Relikt überliefert, waren entweder als simples Sitzbrett gestaltet oder annähernd anatomisch profiliert (**Abb. 40. 57**). Skullbetrieb, bekanntlich nur für schlanke Boote geeignet, weil zwei kürzere Ruder von einer Person bedient werden, ist in der römischen Kunst äußerst selten eindeutig fassbar (**Abb. 41**); auch in der antiken Literatur lässt er sich gerade einmal nachweisen (Auson. Mos. [13]), ist so immerhin kaum in Zweifel zu ziehen. Andere Ausstattungsmerkmale, vor allem die für effizientes Rudern unverzichtbare Fußstemmvorrichtung (θρῆνυς[?]), existierten zumindest dort, wo hohe Vortriebsleistung gefordert war (S. 57-60).

Abb. 34 Flavischer Reliefblock aus Köln mit der Darstellung eines geruderten Plattbodenfahrzeugs mit Plattgattheck. – (Foto Römisch-Germanisches Museum Köln / Rheinisches Bildarchiv Inv.-Nr. RGM 79,400.85).

Literatur

Nautisches Glossar antiker Bootsausstattung

Casson 1971. – Kurt 1979. – Dürring 1995.

Rudertechniken

Jarrett-Bell 1930. – Shaw 1993a; 1993b; 1995. – Rankov 1993. – Bondioli / Burlet / Zysberg 1995. – Hale 1996.

Ruderleistung, Beschlagsausstattung und -anordnung

Humphreys 1978. – Morrison / Coates 1989. – Coates / Platis / Shaw 1990. – Coates 1993b; 2012. – Shaw 1993a; 1993b; 1995. – McKee 1997. – Bockius 2000; 2012a. – Friedman / Galili / Sharvit 2002.

Abb. 35 Relief einer Grabplatte aus Terrakotta in Ostia. Hafenschlepper mit sechs Riemen. – (Fototeca Unione, Rom).

Karte 3 Verbreitung kaiserzeitlicher Riemendollen nordischen Typs. – Offener Kreis: Datierung unsicher.

Abb. 36 Riemenlagerung in Grummets. Ausschnitt aus einer Wandmalerei in der Grabkammer des Sennefer (TT 96), Theben-West (Oberägypten). 15. Jahrhundert v. Chr. – (akg-images, E. Lessing).

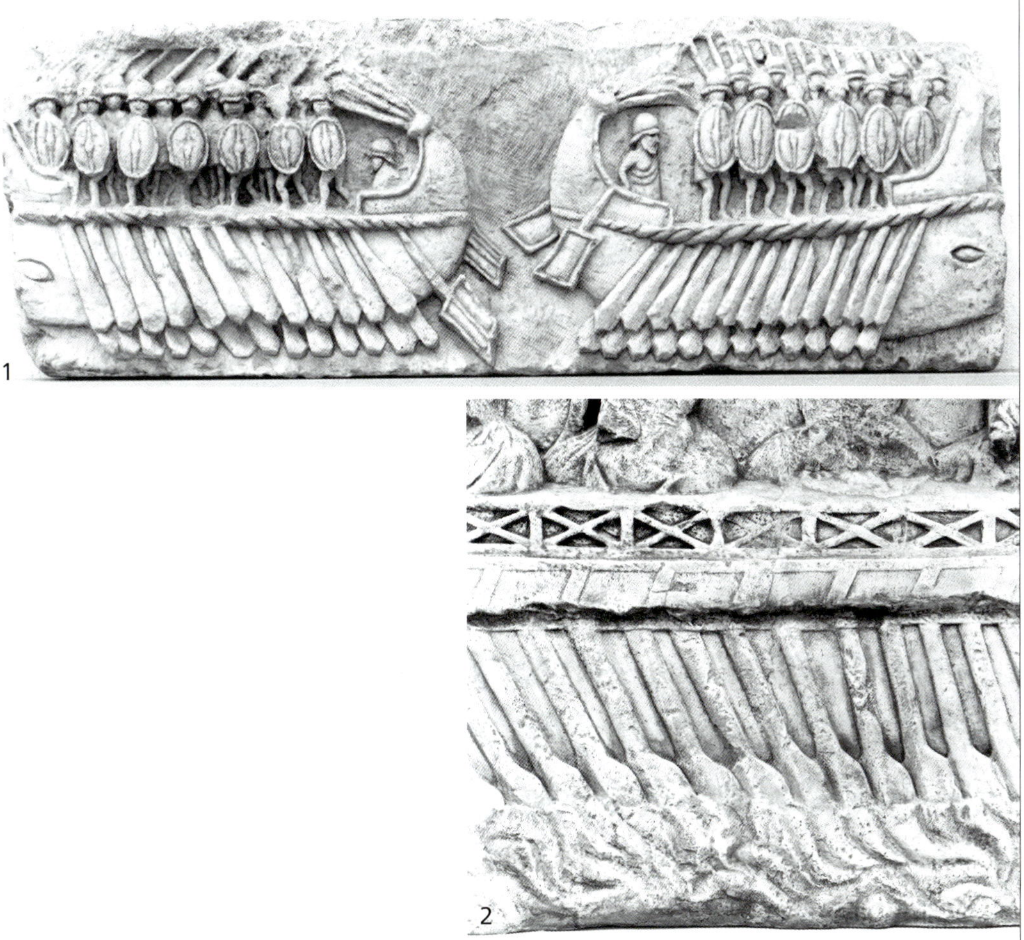

Abb. 37 Römische Schiffsriemen: **1** Relief, 2./1. Jahrhundert v. Chr. Neapel, Museo Archeologico Nazionale. – **2** sogenanntes Trierer Weinschiff, um 220/230 n. Chr. Rheinisches Landesmuseum Trier. – (Fotos C. Beeck, RGZM; nach Kopien im Museum für Antike Schiffahrt, Mainz).

Abb. 38 Nydam-Moor bei Øster Sottrup (Südjütland). Bootsriemen. 1. Hälfte 4. Jahrhundert. – (Nach Engelhardt 1865).

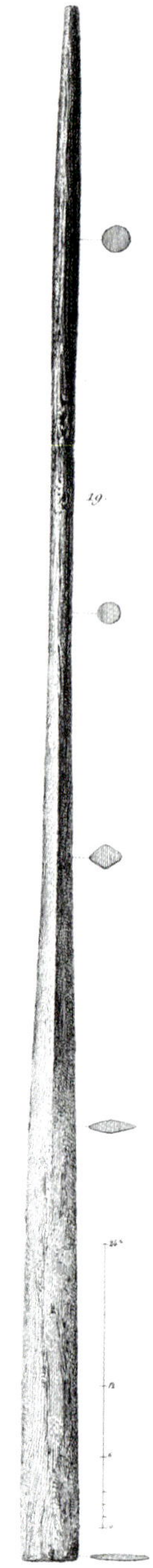

Abb. 39 Grabstein des Schiffers (*nauta*) Blussus aus Mainz-Weisenau (Ausschnitt). Darstellung eines prahmartigen Frachtbootes. Um 30/40 n. Chr. Landesmuseum Mainz, Inv.-Nr. S 146. – (Foto V. Iserhardt/R. Müller, RGZM; nach einer Kopie im Museum für Antike Schiffahrt, Mainz).

Abb. 40 Oberstimm (Lkr. Pfaffenhofen a.d. Ilm), Wrack 1. Ruderfahrzeug aus dem frühen 2. Jahrhundert: **1** teilweise erhaltene Ducht (Foto T. Mittermüller). – **2** Rekonstruktionszeichnung (nach Bockius 2002c).

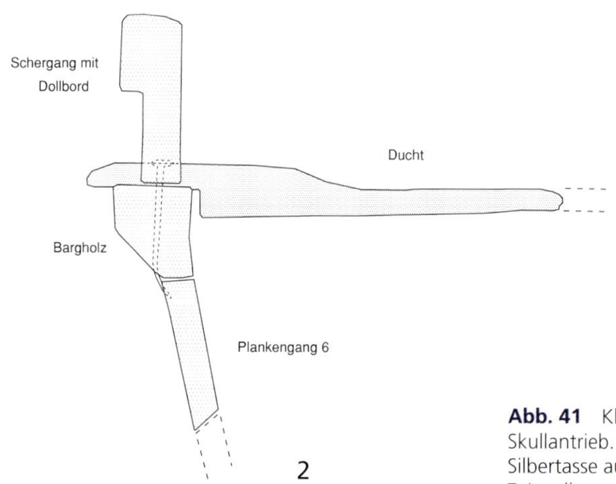

2

1

Abb. 41 Kleines Boot mit Skullantrieb. Reliefbild auf einer Silbertasse augusteisch-tiberischer Zeitstellung aus Pompeji. – (Nach A. Maiuri, La Casa del Menandro e il suo Tesoro di Argenteria [Roma 1932] 266 f. Abb. 107 Taf. XVI).

Antike Ruderfahrzeuge als Primärquellen

Wer humanistischen Methoden und Möglichkeiten der Beweisführung misstraut oder die Notwendigkeit sieht, Fragen zum dreidimensionalen Gefüge des Wirkungsduos Mensch-Gerät auch an substanziellen Anschauungsobjekten gespiegelt zu betrachten, kann mit einer kleinen Zahl mehr oder minder aussagekräftiger Bootsfunde vom Genre des Riemenfahrzeugs konfrontiert werden (**Karte 4**). Um als solches überhaupt erst erkannt zu werden, bedarf es unzweideutiger Kennzeichen, und das sind zuweilen nicht mehr als dislozierte Dollen und Bruchstücke von Riemen, die allerdings, aus ihrem konstruktiven Kontext gerissen, kaum Schlussfolgerungen zu den Umständen ihres ursprünglichen Einsatzes zulassen. Anders verhält es sich mit zumindest sektionsweise erhaltenen Rümpfen: Eine kleine Zahl in die römische Kaiserzeit datierter Wracks aus dem Reichsgebiet war bei ihrer Auffindung zwar in desolatem Zustand, doch bietet jedes für sich interessante Merkmale des Betriebssystems – wenn auch zuweilen nur in Gestalt indirekter Spuren. Durch die Rekonstruktion ihrer Ausstattung sowie die dreidimensionale Anordnung von Einbauten und Fittings nimmt die biomechanische Einbindung des Menschen annähernd Gestalt an. Die einstige Verwendung dieser Fahrzeuge ist teils in der militärisch geprägten Binnenschifffahrt des römischen Staates, teils im zivilen Milieu zu suchen.

Über schiffsarchäologisches Material aus Italien und den römischen Provinzen hinaus werden hier auch partiell schon im 19. Jahrhundert aufgedeckte Funde germanischer Ruderfahrzeuge aus dem 2.-4. Jahrhundert erfasst. Sie gehören zwar einem anderen kulturgeschichtlichen Milieu an, verdienen aber nicht zuletzt aus chronologischen Gründen Interesse, weil sie den Kontrast zwischen zeitgenössischen Boots- und Antriebstechniken während der römischen Kaiserzeit diesseits und jenseits der römischen Welt veranschaulichen.

Nr. 1 Pisa, nave C

Der spektakuläre Fund eines mit rund 13,3 m Länge und 2,7 m maximaler Breite relativ kleinen, bei knapp 1,6 m Rumpfhöhe mittschiffs aber recht hochbordigen Bootes (**Abb. 51-52**) in Pisa (nave C) verdient in verschiedener Hinsicht Aufmerksamkeit: Das in spätaugusteisch-tiberische Zeit datierte Wrack bietet ein außergewöhnlich gut erhaltenes Riemensystem für zwölf in zwei Reihen untergebrachte Ruderer. Von ursprünglich sechs den Rumpf querschiffs durchmessenden Ruderduchten waren fünf jeweils doppelt besetzt; je ein Rojer saß auf einer Ducht sowie auf der Achterkante des Vordecks. Die Rumpfschale war beiderseits mit sechs oblongen Riemenpforten ausgestattet, deren binnenbords sitzende Dollpflöcke azentrisch montiert waren, damit ausreichend Platz blieb, die mit schlanken Blättern versehenen Riemen in Arbeitsposition bringen, d. h. einschieben zu können. Die Öffnungen sind in dieser Gestalt und Ausstattung auch von der monumentalen Plastik eines zweireihigen hellenistischen Kriegsschiffes, der sogenannten Nike von Samothrake im Pariser Louvre, bekannt. Überdies begegnen an den Seiten außenbords Nagelverbindungen, die zweifelsohne auf die an antiken Seeschiffen üblichen Riemenpfortenabdeckungen zur Abdichtung der Durchlässe (ασκόματα/*folliculi*) zurückgehen (**Abb. 30. 51**). Die für antike Kriegsschiffe typische Bugkonstruktion mit konvex-konkaver Silhouette sowie die Eisenplattenbewehrung des Bugsporns lassen an eine hoheitliche Verwendung des Fahrzeuges denken, freilich nicht im Sinne einer auf Kampfeinsatz getrimmten Einheit mit offensiven Aufgaben, dennoch mit militärischem Hintergrund, etwa als Kriegsschiffsbarkasse oder Depeschenboot. Dasselbe legt der Nachweis einer Besegelung nahe, der aufgrund der Beschaffenheit des erhaltenen Kokers – der lateral an eisernen Püttings verstakte Mast konnte bedarfsweise nach achtern gelegt werden – sekundärer Charakter zu bescheinigen ist.

Gemäß der nur aus Vorberichten und persönlicher Kenntnisnahme des Verfassers zugänglichen Informationen kann das Boot als relativ schwer, robust und stäbig gelten, nicht zu vergleichen mit den als Nr. 3-6 erörterten Ruderfahrzeugen, die auf Binnenrevieren eingesetzt wurden; alles spricht dafür, dass es sich hierbei

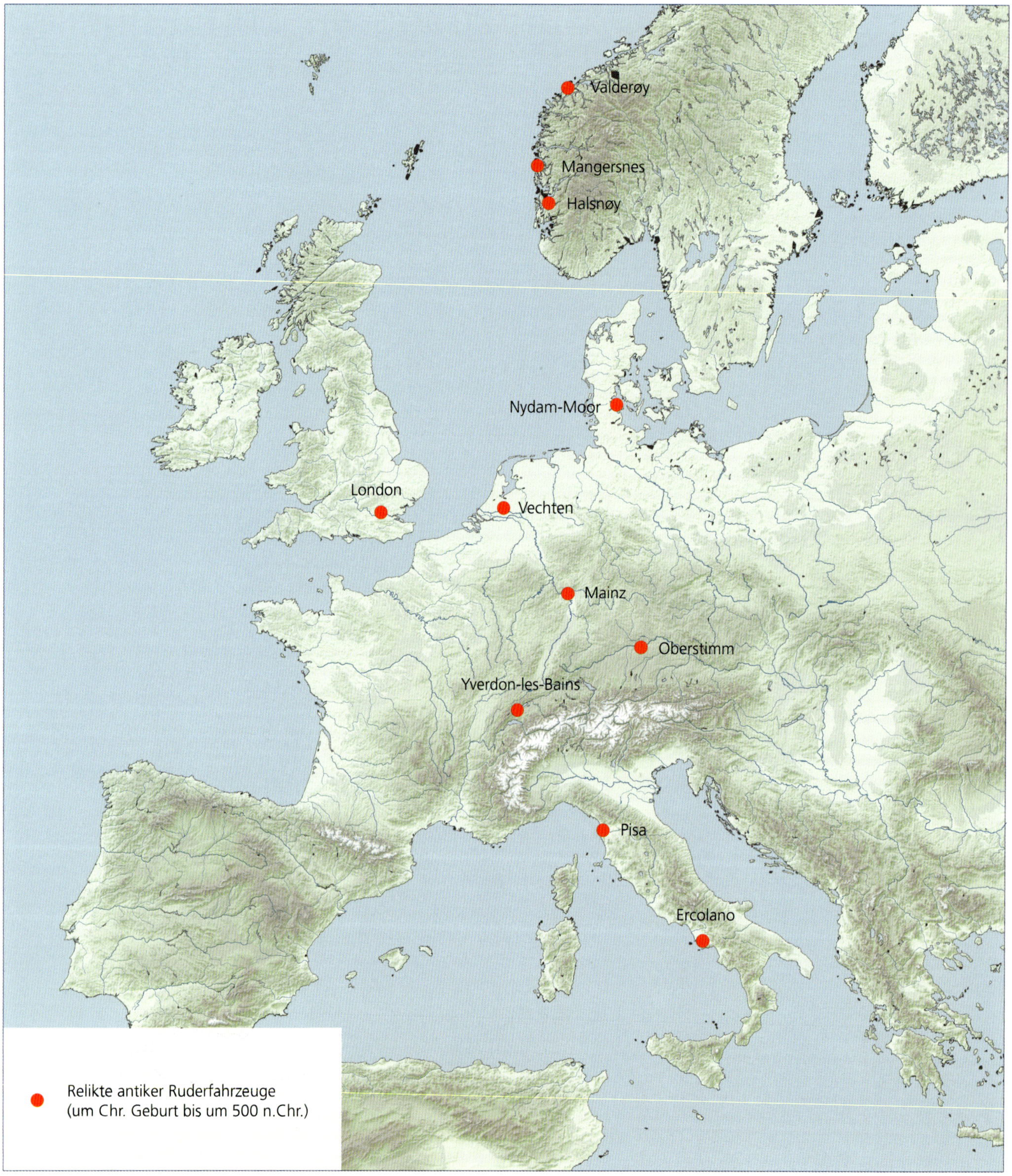

Karte 4 Verbreitung antiker Ruderfahrzeuge und ihrer Ausstattung.

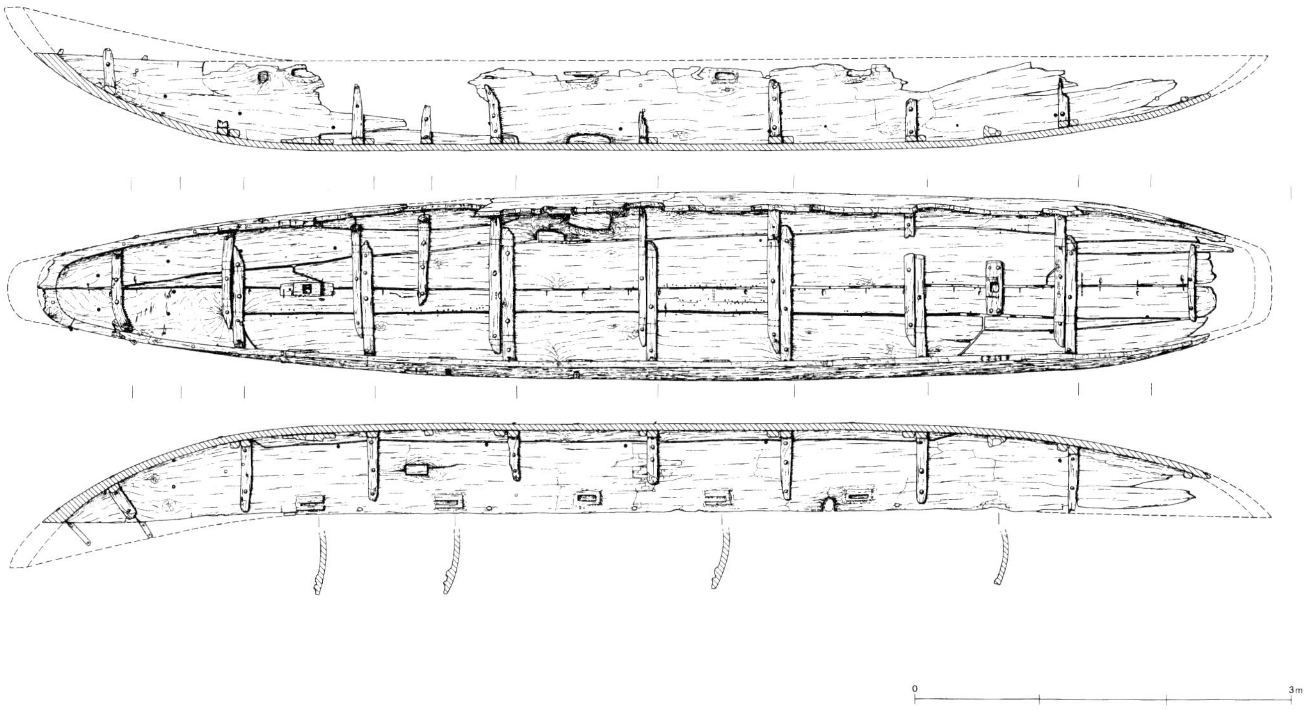

Abb. 42 Yverdon-les-Bains (Kt. Waadt/CH). Spätantikes mehrteiliges Stammboot. Rekonstruierte Planzeichnungen. – (Nach Arnold 1992).

um ein bedingt küstentaugliches Kleinfahrzeug handelt. Der Ruderbesatzung standen Unterbringungsmodule von gut 1 m Länge zur Verfügung (**Tab. 1**). Im Fußraum scheint eine Art Deck oder Beflurung existiert zu haben. Bemerkenswert sind die Spuren eines enkaustischen Außenanstrichs in den Farben Weiß und Rot, nicht zuletzt auch das in griechischen Majuskeln linksläufig in eine der Duchten geschnitzte lateinische Wort *ALKEDO* (»Eisvogel«), das – an dieser Stelle als Namenszug gezeigt, wenig überzeugend – als der individuelle Fahrzeugname interpretiert wird.

Nr. 2 Herculaneum

Ein 1982/1983 vor den suburbanen Thermen am antiken Strand von Herculaneum freigelegtes Boot fiel durch seine qualitätvolle, leichte Bauart (erwartungsgemäß nach mediterranem Muster mit stiftgesicherten Nut-Feder-Verbindungen) und durch elegante Linien auf. Das noch etwa 9 m lange Wrack geht auf einen nach sachverständiger Einschätzung knapp 2,5 m breiten, mittschiffs weniger als 1 m hohen Rumpf zurück, der beim Ausbruch des Vesuvs im Spätsommer des Jahres 79 n. Chr. nahezu komplett verkohlt ist und unvollständig, kieloben gelagert am Fundort in pyroklastisches Material eingebettet war. Der Schiffskörper zeigte sich deformiert und entlang des Kiels gespalten. Aufgrund seines fragilen Zustandes werden nähere Untersuchungen erst nach der Bergung und Stabilisierung des Holzes in Aussicht gestellt, sodass man auf die mitgeteilten Beobachtungen einer Begutachtung *in situ* angewiesen ist. Demnach ist das Boot längsschiffs zu etwa zwei Dritteln erhalten. Das lässt eine ursprüngliche Länge von 13-14 m erwarten. In kurzer Distanz zu seinem erhaltenen konvex geformten Steven folgt ein oben die Bordwände durchstoßender Querbalken, der wohl zur Lagerung zweier Seitenruder gedient hatte. Bei dem Wrack handelt es sich offenbar um die mittlere und achtere Rumpfpartie. In der an Backbord erhaltenen Mittelsektion wurden am Dollbord – ein kräftiges Rechteckprofil, das die Schergangskante und die Enden der mit 12-30 cm relativ eng positionierten Spanten abdeckte – noch sechs Dollpflöcke notiert. Ihr zweimal gemessener Abstand lag mit 92 bzw. 112,5 cm beträchtlich weit auseinander.

Das Ruderfahrzeug aus Herculaneum ist gemäß seiner leicht gehaltenen Bauweise, vor allem aber aufgrund seiner Niederbordigkeit nicht mit dem von Pisa, nave C (Nr. 1) vertretenen Bootstypus zu verwechseln. Dennoch scheint es über eine vergleichbar große Riemenbesatzung von mindestens zweimal sechs Mann verfügt zu haben, ist also als Mannschaftsboot zu identifizieren. Wenn die proportionale Einschätzung des Rumpfes zutrifft, lässt sich seine Schlankheit annähernd mit den unten behandelten Riemenbooten vom Typ Oberstimm vergleichen (Nr. 4). Als Einsatzrevier kommen die geschützten Gewässer der Bucht von Neapel und der sich im Süden anschließende Küstenstreifen in Betracht. Ein in unmittelbarer Nachbarschaft

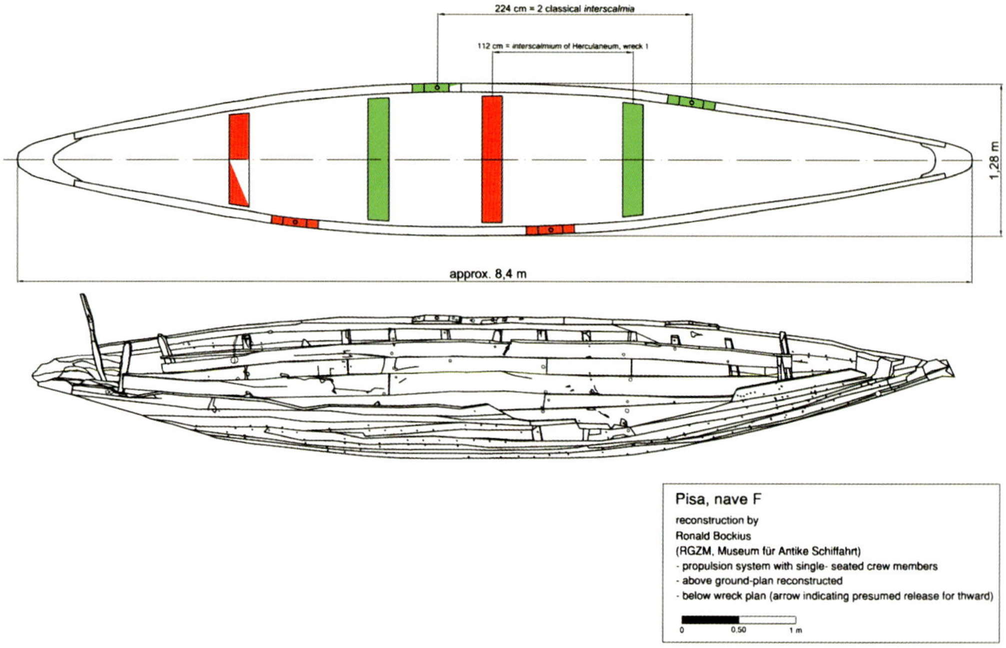

Abb. 43 Pisa, nave F. Ruderfahrzeug der mittleren Kaiserzeit. Photogrammetrischer Plan. – (Nach Bockius 2002b).

gefundenes Skelett eines Bewaffneten kann die hoheitliche Verwendung des Bootes nicht zweifelsfrei belegen; sie ist aber auch vor dem Hintergrund der historischen Ereignisse während der Vulkaneruption nicht auszuschließen.

Nr. 3 Pisa, nave F

Elegant geformt, schlank und flach dimensioniert, macht uns ein Fund aus Pisa mit einem bislang gänzlich unbekannten antiken Bootstyp vertraut. Das 8,2 m lange, max. 1,25 m breite Ruderboot (nave F) datiert in die Mitte bis zweite Hälfte des 2. Jahrhunderts. An der erhaltenen Bordkante befanden sich die aufgenagelten Fundamente zweier Dollen in Gestalt eingezapfter Dollpflöcke (**Abb. 43**). Ihr Abstand von 2,25 m in Verbindung mit der geringen Rumpfbreite legt die Annahme nahe, dass das Fahrzeug über einen simplen Riemenantrieb mit vier Mann Besatzung verfügte, die im Abstand von nominell 11,25 m im Rumpf untergebracht waren. Das Wrack liefert den bislang einzigen handfesten Nachweis für ein antikes Riemen-Vierer-Rigg mit einzeilig untergebrachter Mannschaft (**Abb. 44**). Kalkuliert man die Ruderer mit jeweils 70 kg Körpergewicht und addiert es zum Gewicht des rekonstruierbaren Bootskörpers, gelangt man hier zu einem Gewichtsanteil von rund 300 kg – so viel Masse musste pro Mann nominell beschleunigt und in Fahrt gehalten werden; gemessen an anderen rekonstruierbaren Booten

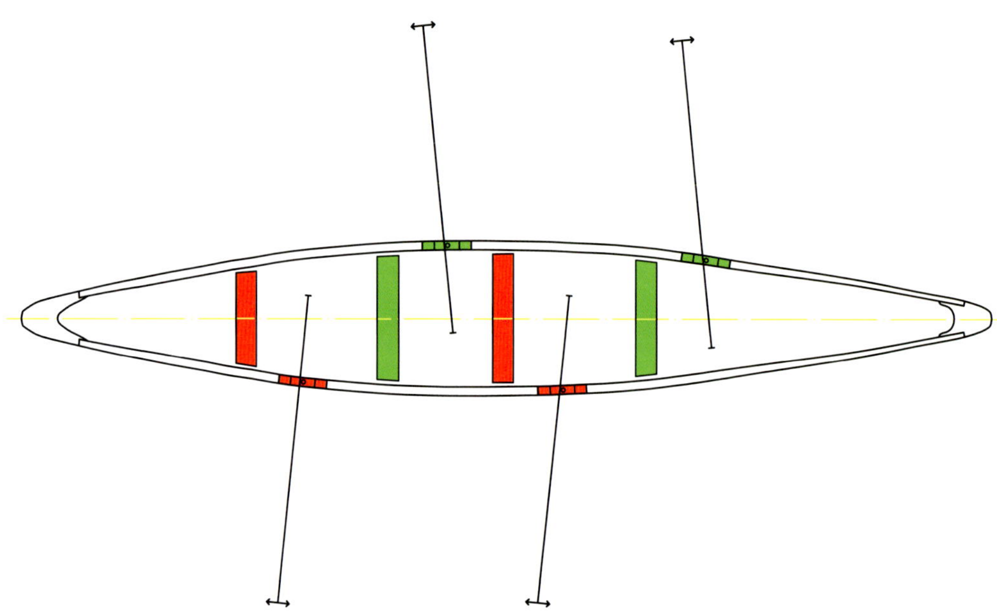

Abb. 44 Pisa, nave F. Plantechnische Rekonstruktion nach schiffsgeometrisch-technischen Befunden. Draufsicht mit farblicher Kennzeichnung betriebstechnischer Beschläge und Einbauten sowie ihrer Zuordnung. – (Nach Bockius 2002b).

Abb. 45 Oberstimm (Lkr. Pfaffenhofen a.d. Ilm). Überreste zweier Ruderfahrzeuge aus dem frühen 2. Jahrhundert. – (Foto T. Mittermüller).

(Nr. 4-6) kein schlechter Wert. Aufgrund funktionaler Ungewissheit ist bei dem Kleinfahrzeug neutral von einem leichten Arbeitsboot auszugehen, wobei einschränkend darauf hinzuweisen ist, dass das Fahrzeug über seine Besatzung hinaus kaum Raumreserven zu bieten hat.

Nr. 4 Oberstimm

Leicht konstruierte, wenn auch beachtlich große Ruderfahrzeuge wurden im Jahr 1994 bei einem römischen Truppenlager in der Nähe von Ingolstadt ausgegraben (**Abb. 45**). Die beiden Rümpfe (Oberstimm 1 und 2) aus dem frühen 2. Jahrhundert waren dem Umfang nach ungewöhnlich gut erhalten, Reste oder wenigstens die Spuren rudertechnischer Ausstattung (**Abb. 40. 46**) inbegriffen. Ursprünglich etwa 15,4 bzw. 16,0 m lang und mittschiffs gut 2,7 m breit, verfügte das eine Boot über eine Ruderbesatzung von 18 Mann (Oberstimm 2), das andere war mit 20 Personen besetzt. Hier betrug das Leistungsgewicht rund 220 kg; der Wert liegt ganz nahe bei der Leistungsmasse, wie sie sich für die Rekonstruktion der klassischen Triëre ergibt (S. 34: um 235 kg). Die schiffsgeometrischen Daten der Fahrzeuge, ihre an mediterranen Gepflogenheiten orientierte Bauart und der

Abb. 46 Oberstimm (Lkr. Pfaffenhofen a.d. Ilm), Wrack 1: **1** Dollpflock bei Spant A2. Draufsicht (Foto T. Mittermüller). – **2** Dollpflock und bugwärtiges Riemenlager (rechts vom Pflock) (Foto R. Bockius).

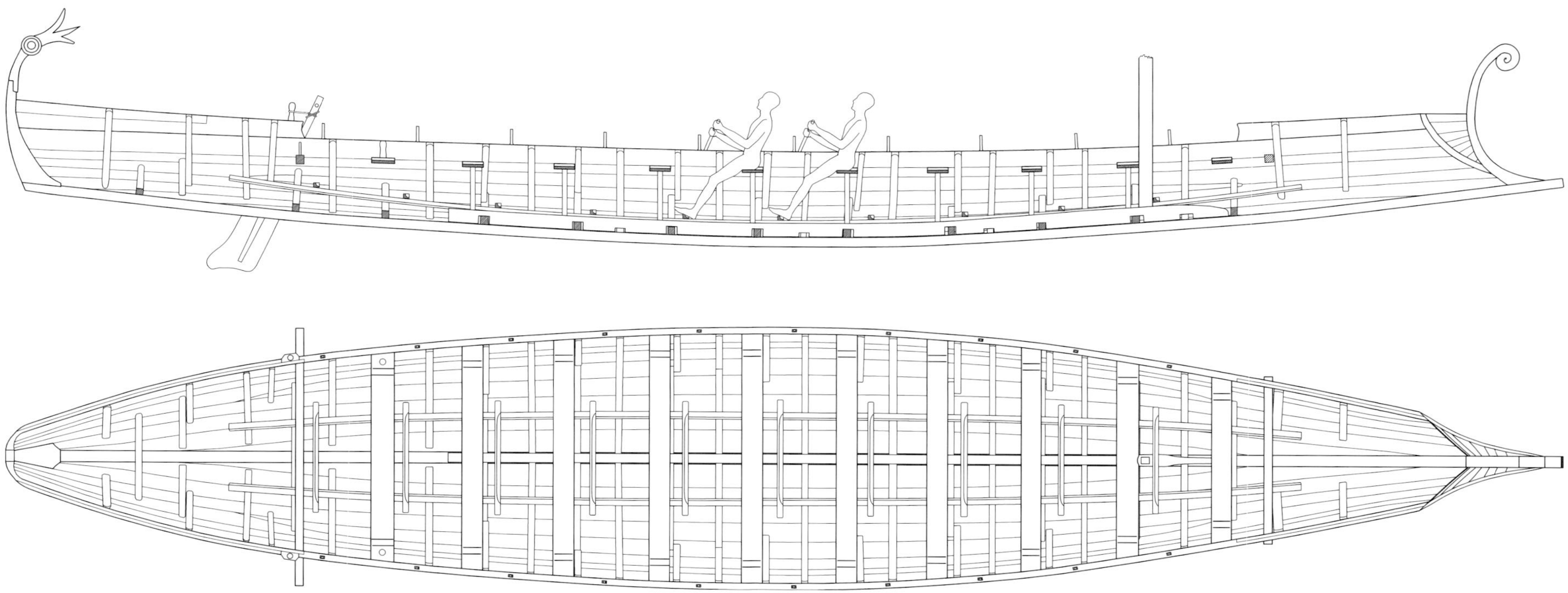

Abb. 47 Oberstimm (Lkr. Pfaffenhofen a.d. Ilm), Wrack 1. Zeichnerische Rekonstruktion nach schiffsgeometrisch-technischen Befunden. – L. 16 m. – (Nach Bockius 2002c).

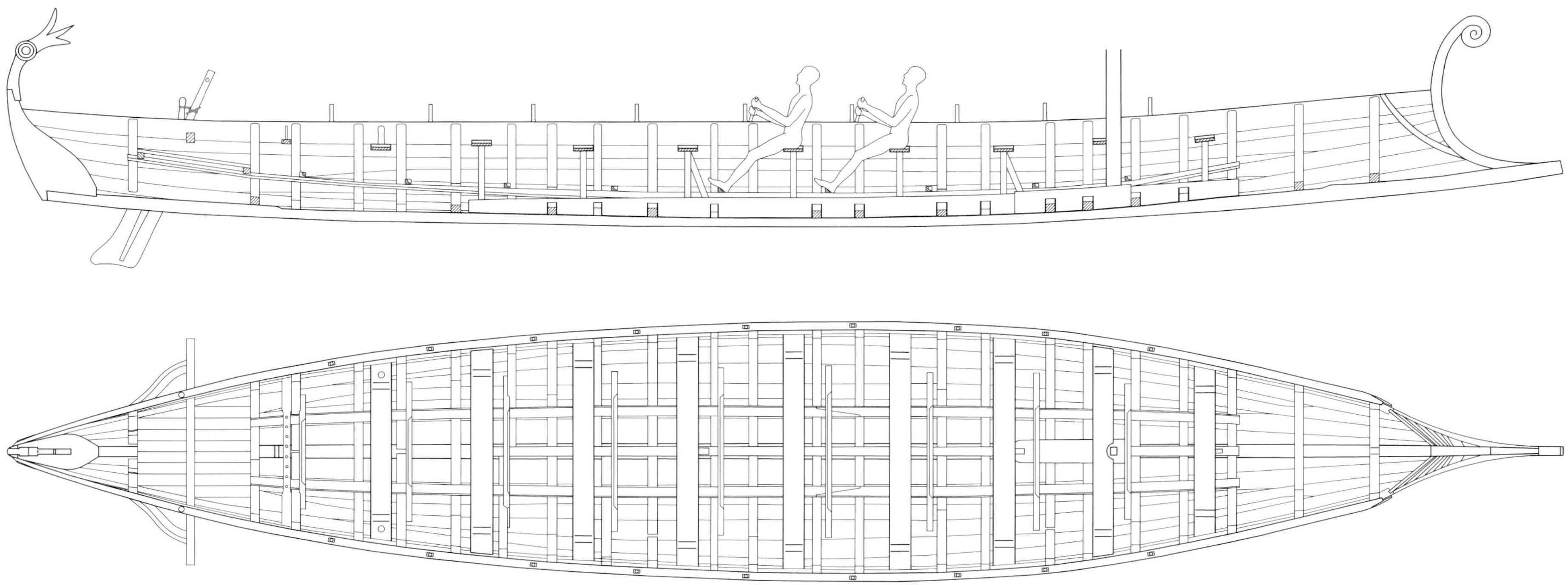

Abb. 48 Oberstimm (Lkr. Pfaffenhofen a.d. Ilm), Wrack 2. Zeichnerische Rekonstruktion nach schiffsgeometrisch-technischen Befunden. – L. 15,40 m. – (Nach Bockius 2002c).

Experimentelle Replik »Victoria« eines Mannschaftsbootes vom Typ Oberstimm. – (Foto W. Huppertz).

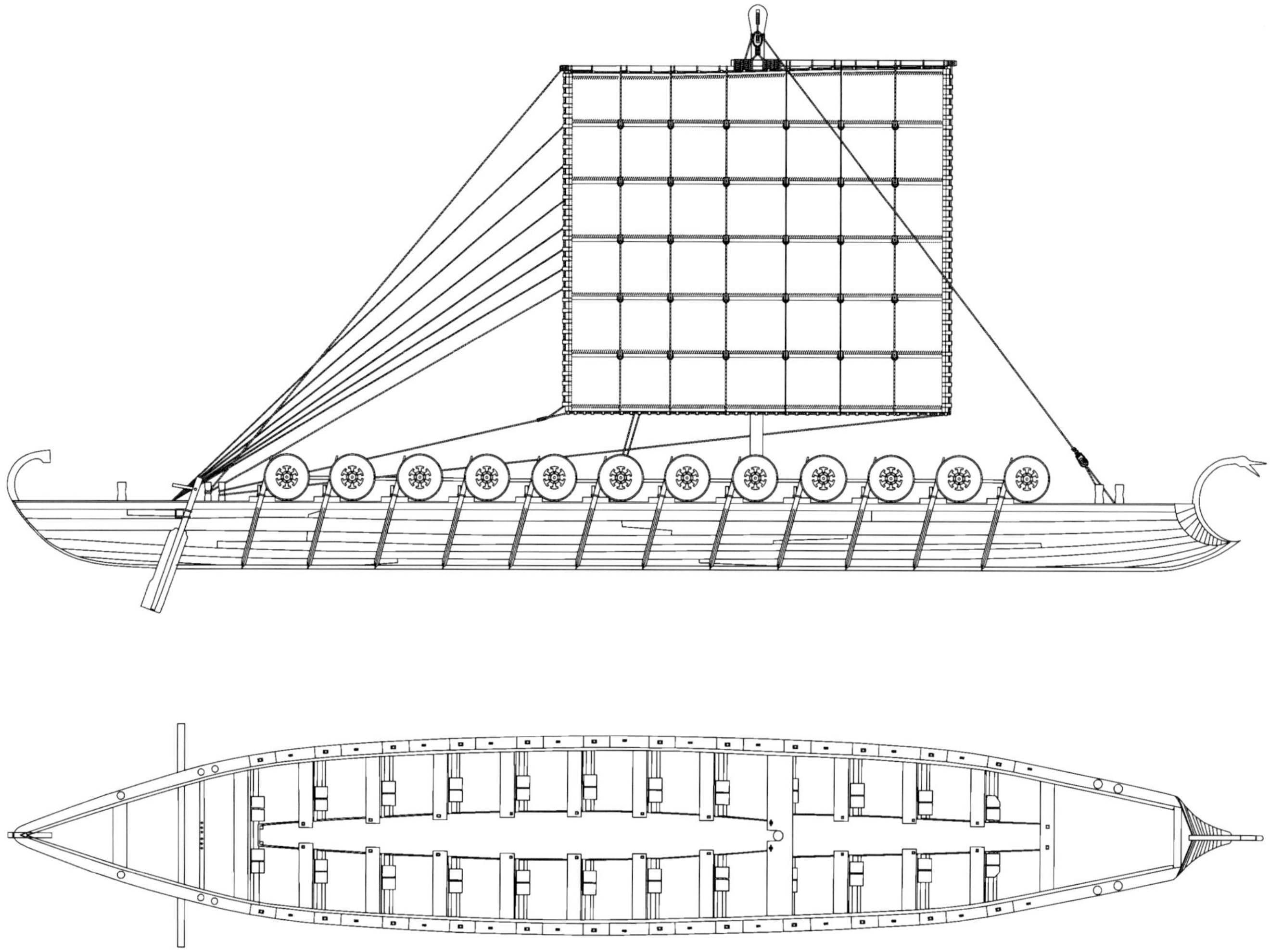

Abb. 49 Spätantikes Mannschaftsboot vom Typ Mainz A. Zeichnerische Rekonstruktion, gestützt auf schiffsgeometrisch-technische Befunde an den Wracks 1 und 5 aus Mainz. – (Zeichnung U. Kessel, RGZM).

archäologische Kontext lassen keinen Zweifel daran, dass wir es mit militärisch verwendeten Einheiten zu tun haben. Beide Boote verfügten auch über eine Hilfsbesegelung. Das binäre Antriebssystem ist typisch für antike Flottenfahrzeuge bzw. Kriegsschiffe.

Die Rudermannschaft war auf den einteiligen Duchten (**Abb. 40**) jeweils paarweise untergebracht, auf neun bzw. zehn Längsmodule verteilt (**Abb. 47-48**). In das verstärkte Dollbord eingezapfte Dollpflöcke (**Abb. 46**) dienten zum Einhängen von Grummets; die Riemen lagen bugwärts auf dem einst durch eine Belederung geschützten Dollbord. Es kann als sicher gelten, dass die Fahrzeuge hoheitliche Aufgaben wahrnahmen und von an der oberen Donau stationierten römischen Truppen unterhalten wurden. Militärische Verwendung auf dem unteren Rheinabschnitt und mit dem Typ Oberstimm vergleichbare Merkmale kündigen sich für ein bereits 1893 in Bunnik-Vechten (prov. Utrecht/NL) freigelegtes Boot aus dem frühen 1. Jahrhundert an, von dem sich kaum etwas erhalten hat und dessen Dokumentation nicht über jeden Zweifel erhaben ist.

Nr. 5 Mainz

Der zuvor behandelte Typ Mannschaftsboote kehrt in anderer Gestalt und abweichender Bauart, hinsichtlich seiner Nutzung und seines Betriebsmusters aber gut vergleichbar im späten 4. Jahrhundert als Einsatzfahrzeug spätrömischer Grenztruppen am Rhein wieder. Dort lässt sich auf der Basis des in Mainz gefundenen Wracks 1 (**Abb. 56-57**) und des auf über 16 m Länge erhaltenen Wracks 5 eine mit 24 oder 26 Ruderern bemannte Einheit rekonstruieren. Das schließt die schiffsgeometrisch verlässliche Wiederherstellung von Abmessungen und Form ein (**Abb. 49**). Demnach war Wrack 5 ursprünglich ca. 18 m lang und mittschiffs gut 2,7 m, in der Wasserlinie etwa 2,15 m breit; die Raumtiefe (minimale Höhe über Kiel) betrug rund 80 cm – also ein nicht gerade kleines, offenes Ruderfahrzeug mit reviertypisch flachem Rumpf und ebenem Boden. Von der Ruderanlage haben sich am typgleichen Wrack 1 sowie an zwei weiteren Mainzer Bootsrelikten im Heckbereich Reste erhalten. Ausklinkungen in den Bordwänden nahmen einen Querbalken auf, an dessen Überhängen die dem antiken mediterranen

1

2

Abb. 50 Mainz, Wrack 1 und Wrack 2. Fahrzeughecks: **1** Wrack 1, wiederhergestellte Fundlage. – **2** Wrack 2, abgeformtes Rumpfsegment, Backbordseite, mit Vorrichtung zur Lagerung des Backbord-Seitenruders. – (Fotos R. Bockius).

Seeschiff, allen voran den Segelfahrzeugen geläufigen Seitenruder kardanisch aufgehängt waren (**Abb. 50**).

Aufgrund seines Längen-Breiten-Verhältnisses von über 7:1 und seines Schlankheitsgrads ist davon auszugehen, dass es sich hier um ein verhältnismäßig leicht laufendes Boot handelte. Bei einem Einsatzgewicht von rund 6,8 t kommt man auf eine Leistungsmasse von 260-280 kg pro Mann. Das ist bedeutend weniger, als für superschlanke, einer königlichen Klasse zugedachte Kriegsboote der Wikinger zu veranschlagen ist, und kaum ein Zentner mehr, als sich für den Ruderer der attischen Triëre des 5./4. Jahrhunderts v. Chr. ableiten lässt (S. 34. 47). Folglich lässt sich dem spätantiken Mannschaftsboot vom Typus Mainz A ein konstruktiv intendiertes Geschwindigkeitspotenzial nicht absprechen.

Nr. 6 Yverdon-les-Bains

Für ein ursprünglich aus zwei gehöhlten Eichenstämmen zusammengefügtes Boot des 4. Jahrhunderts (gebaut um 300 n. Chr.) aus Yverdon-les-Bains (Kt. Waadt/CH) am Neuenburger See (**Abb. 42**) zeichnet sich eine ungewöhnlich lange Betriebszeit ab. Sein Rumpf, gewissermaßen monoxyl geformt, wurde im Rahmen von Reparaturmaßnahmen sekundär verändert, indem in die Schale eingepasste Plankensegmente rottes Holz ersetzt haben. Das Boot lässt sich mit Rücksicht auf seine Abmessungen (L. ca. 10 m; B. 1,4 m; H. mittschiffs 0,7 m) und angesichts seiner erschließbaren Ausstattung mit fünf brettartigen Ruderbänken am ehesten als Fahrzeug mit Skullantrieb rekonstruieren – einrangiger Riemenantrieb hätte einer sechsten Ducht bedurft, es sei denn, eine der fünf Bänke wäre ungenutzt geblieben. Die mit bis zu 1,10 m Längsabstand recht locker verteilten Duchten lassen zwar nicht an ein hohes Geschwindigkeitspotenzial denken, doch relativiert sich das ohnedies durch die vergleichsweise kurze Wasserlinienlänge. Trotz seiner einbaumähnlichen Bauart – ein leichter Rumpf mit gerade einmal ca. 0,7 t Leergewicht – wäre hier bei einer sechsköpfigen Besatzung von einer Leistungsmasse von etwa fünf Zentnern pro Ruderer auszugehen.

Von der Duchtausstattung haben sich lediglich die beim Aushöhlen der Eichenschalen ausgesparten lateralen Lagerrasten erhalten. Entlang den nicht weiters verstärkten Bordkanten sind den Sitzpositionen jeweils große Bohrungen zugeordnet. Sie nahmen ursprünglich wohl Stropps zum Anhängen der Antriebsruder auf, sofern die Durchlässe nicht auf Laschverbindungen für separate Dollkonstruktionen zurückgehen.

Das Boot wurde in unmittelbarer Nähe der spätrömischen Festung aufgedeckt, in der Einheiten einer amphibisch operierenden Truppe (*classis barcariorum*) stationiert waren; das ist allerdings nur ein vager Hinweis auf die militärische Verwendung des Kleinfahrzeuges, der indes mit seinem Charakter als kleines Mannschaftsboot in Einklang stünde.

Andere Relikte antiker Ruderfahrzeuge, die innerhalb des römischen Reichsgebietes zutage gefördert wurden, geben nicht viel mehr preis als ihre funktionale Qualität. Darunter befinden sich ein mutmaßlicher Dollpflock sowie ein auch nicht mit letzter Gewissheit als Rückstand eines Kriegsschiffes zu identifizierendes Wrack in London.

Abb. 51 Pisa, nave C. Frühkaiserzeitliches Ruderfahrzeug mit hochbordigem Rumpf und durch Pforten gesteckten Riemen. – (Zeichnerische Rekonstruktion nach Bonino 2006).

Abb. 52 Pisa, nave C. Perspektivische Ansicht des Wracks. – (Nach Camilli / Setari 2005).

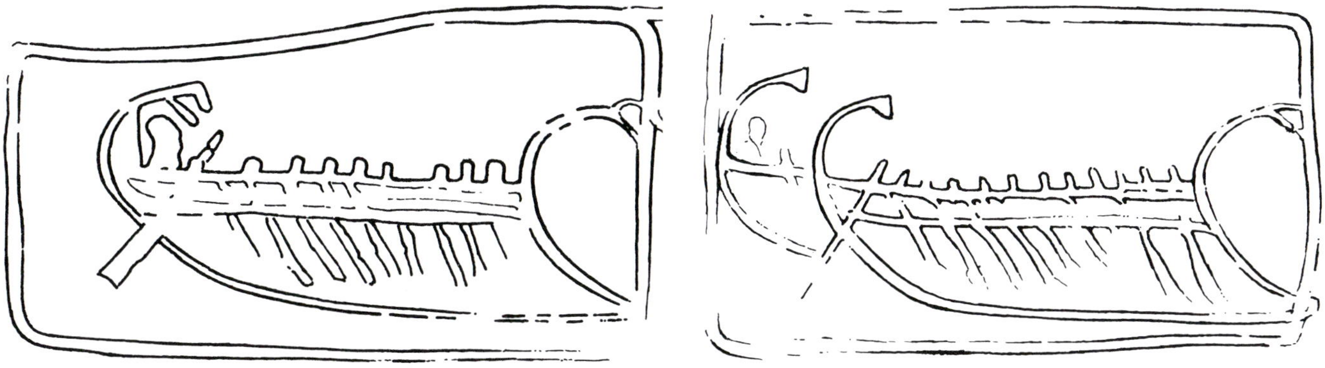

Abb. 53 Darstellung offener Ruderfahrzeuge auf zwei spätrömischen Ziegelstempeln aus Mainz, der Legio XXII Primigenia Pia Fidelis zugeordnet. Umzeichnungen. – (Nach O. Höckmann, Darstellungen von Ruderschiffen auf zwei römischen Ziegelstempeln aus Mainz. Arch. Korrbl. 14, 1984, Taf. 39, 2; 40, 2).

Über Funde geruderter Mannschaftsboote aus Italien und dem nordalpinen Mitteleuropa hinaus begegnen zeitgenössische Ruderfahrzeuge auch außerhalb der römischen Welt (**Karte 4**). Die im westlichen Ostseeraum und in Südskandinavien aufgedeckten Ruderfahrzeuge und Bootsbeschläge der römischen Kaiserzeit bekunden die außerordentlich späte Rezeption des genuin mittelmeerländischen Riemenantriebes, dem im nördlichen Europa eine jahrtausendealte Tradition des Paddels gegenüberstand (**Karte 1**). Der Riemen löste das Paddel in der betrachteten Zone damals keineswegs ab, sondern kam ergänzend für den Vortrieb größerer, vor allem breiterer Fahrzeuge hinzu. Das nordische Fundmaterial scheint sich hinsichtlich des Baumusters der geklinkerten Rümpfe und ihres Ausbaus diametral vom römischen Boot und Schiff zu unterscheiden. Bei genauerem Hinsehen wird aber deutlich, dass eine der technikgeschichtlichen Wurzeln des nordeuropäischen Plankenfahrzeuges in den keltisch geprägten römischen Provinzen an Rhein und oberer Donau gründet, wo das nautisch-schiffbauliche Sujet des Mittelmeergebietes seit spätaugusteischer Zeit merkliche Spuren hinterlassen hat. Von dieser Militärzone wird auch der innovative Riemenantrieb vermittelt worden sein (**Abb. 53**).

Die Bekanntheit germanischer Ruderfahrzeuge, die seit dem späten 2. Jahrhundert erstmals in Südjütland nachgewiesen werden und sich teils als Mannschaftsboote mit bis zu 30 Mann Riemenbesatzung identifizieren lassen, ist den spezifischen Deponierungsgewohnheiten und Überlieferungsbedingungen im nordeuropäischen Barbarikum zu verdanken. Boote oder Bootsteile, gemessen an ihrer Größe auch Schiffe wurden im heutigen Dänemark sowie in den

Abb. 54 Nydam-Moor bei Øster Sottrup (Südjütland). Germanisches Mannschaftsboot aus dem frühen 4. Jahrhundert (Nydam B). Schleswig, Archäologisches Landesmuseum Schloss Gottorf. – (Foto C. Dannenberg, Archäologisches Landesmuseum Schloss Gottorf).

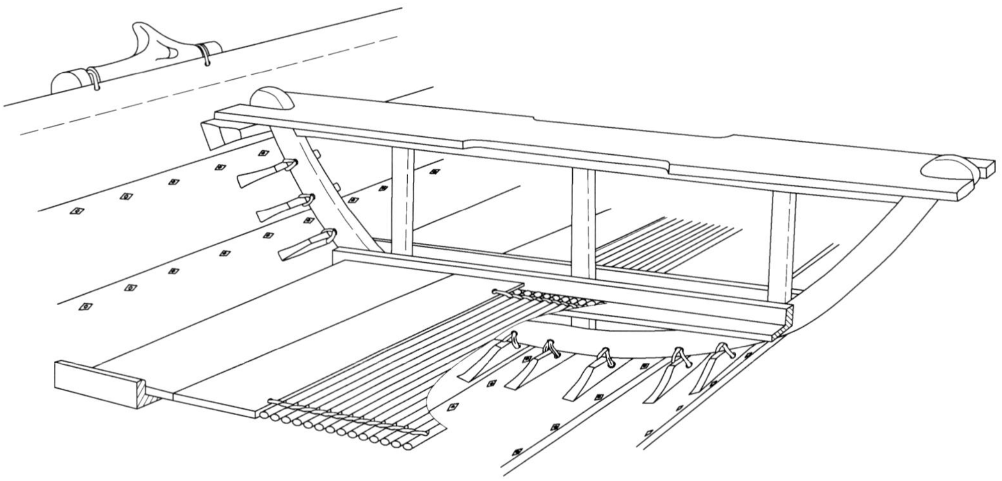

Abb. 55 Nydam-Moor bei Øster Sottrup (Südjütland). Einbauten des germanischen Mannschaftsbootes Nydam B, rekonstruiert durch M. Gøthche (Roskilde), gestützt auf Neufunde der dänischen Grabungen von 1989 bis 1999 im Nydam-Moor.

südlichen Regionen Norwegens und Schwedens als Opfer in Gewässern versenkt oder Boote dienten zu Lebzeiten wohlhabenden, gesellschaftlich hervorgehobenen Verstorbenen als Grabzurüstung, kleinere Rümpfe als Sarg. Darüber hinaus begegnen nicht nur die für den nordeuropäischen Bootsbau der Epoche typischen Bootsniete aus Eisen, sondern gelegentlich auch hölzerne Rückstände an küsten- oder flussnahen Werkplätzen und Bootshäusern, wo Feuchtbodenbedingungen oder Verkohlung die Erhaltung organischen Materials ebenso begünstigt haben wie in den vertorften Opferseen Dänemarks.

Unter den als Pars pro Toto oder als komplette Fahrzeuge zusammen mit Kriegerausrüstungen als Beuteopfer deponierten Booten verdient das im August 1863 entdeckte, heute im Archäologischen Landesmuseum Schloss Gottorf in Schleswig ausgestellte große Nydam-Boot (**Abb. 49**) besonderes Interesse.

Nr. 7 Nydam B

Der fast vollständig erhaltene Rumpf wurde nach seiner Hebung im 19. Jahrhundert remontiert und restauriert, wobei verrottete Planken ersetzt oder abschnittsweise ergänzt wurden. Für das instabile Seitenruder und die fragilen, auf das Dollbord gelaschten sichelförmigen Dollen (**Karte 3**) wurden nach den im Moor angetroffenen Originalen hölzerne Repliken angefertigt. Eine 1995 erfolgte Neuvermessung war Grundlage für die schiffsgeometrische Rekonstruktion des Schiffskörpers, der sich insbesondere nach seiner Bergung aus dem Moor durch Trockenschwund verformt hatte. Die aktuelle Rekonstruktion revidiert ältere Ansätze, die formal und dimensional voneinander abwichen. Die Überhänge der Steven unberücksichtigt, ist der Rumpf 21,4 m lang und mittschiffs gut 3,3 m breit. Von seiner Mittschiffshöhe (1,34 m) entfallen bei einer kalkulierten Einsatzverdrängung von 9 t bei einem Leergewicht von knapp 5 t 60-65 cm auf Tiefgang, der Rest verbleibt als Freibord, das sich aufgrund der Sprungkurve des Bootes nach vorne und nach achtern erhöht. Man hat es hier zweifelsohne mit einem küstentauglichen Fahrzeug zu tun.

Aus der 1865 erschienenen Grabungsdokumentation geht hervor, dass der geklinkerte Rumpf ursprünglich über Ruderbänke verfügte, deren Enden auf seitlichen Konsolen auflagen, mit denen auch die Enden der gewachsenen Spanten verlascht waren. Die Duchten waren mit einzelnen oder mehrfach in die Spanten gezapften Stützen unterfangen. Jeder Ruderbank war achterlich ein Paar Dollen zugeordnet, sodass von konventionellem Riemenantrieb auszugehen ist. Der Ausgräber des 19. Jahrhunderts berichtet von Relikten einer Beflurung im Bootsinneren, die offenbar nicht mehr in ihrer ursprünglichen konstruktiven Position angetroffen wurde, und er notierte teils komplett erhaltene Bootsriemen.

Dänische Nachgrabungen im Nydam-Moor brachten eine große Zahl schiffstechnischer Komponenten zum Vorschein, darunter auch Riemen aus Eschenholz und Einbauelemente, meist aus Linde hergestellt, die sich dem Fahrzeug zuordnen lassen. Darunter befinden sich auch Profilhölzer, Planken und Fragmente einer Rollmattenkonstruktion aus Haselnuss-Rundstäben, die sich zu einer Beflurung des Bootes mit festen Bodenbrettern seitlich im Rumpf ergänzen lassen, an die oberhalb des Kiels eine durch Aufrollen oder Klappen leicht zu öffnende Abdeckung anschloss (**Abb. 55**). Dendrochronologische Untersuchungen präzisierten die bislang gültige Datierung der Niederlegung (4. Jahrhundert) auf eine Bauzeit des Fahrzeugs in den Jahren zwischen 310 und 320 n. Chr.

Die Distanz zwischen den Ruderbänken, deren Anordnung konstruktiv an die Verteilung der Spanten gebunden war, betrug zumeist 110 cm; der kürzeste Abstand lag bei 95 cm, der längste bei 117 cm. Das Fahrzeug hat als schlank und widerstandsarm zu gelten; ein 2012 veranlasster Schlepptankversuch hat ein Geschwindigkeitspotenzial ergeben, das die Leistungsprofile der Rümpfe von Mainz (Nr. 4) und Oberstimm (Nr. 3) noch übertrifft. Nach der sich aus der Riemenbesatzung und der zu veranschlagenden Verdrängung errechnenden Leistungsmasse von rund 300 kg pro Ruderer fügt sich Nydam B in die Reihe der im römischen Provinzgebiet und in Italien gefundenen Mannschaftsboote leichter Bauart ein. Dass es auch für kriegerische Zwecke eingesetzt worden ist, liegt gemäß der historischen Einschätzung einschlägiger kaiserzeitlicher Mooropfer mit Rückständen größerer Wasserfahrzeuge sowie in großen Mengen deponierter Waffen und persönlicher Ausstattung bezwungener Gegner nahe. Man wird das für eine Rudermannschaft von 30 Personen konzipierte Boot als Besitz eines lokalen Magnaten mit politischem Einfluss auffassen können, dessen Prosperität und Macht genügte, um mit einer nicht ganz kleinen Besatzung kriegerische Konflikte einzugehen und das Fahrzeug darüber hinaus als Vehikel seiner Mobilität im Küstenraum zwischen Jütland und den dänischen Inseln zu nutzen, womöglich sogar darüber hinaus.

Die summarisch behandelten Bootsfunde (Ausnahme: Nr. 2) boten die in der Schiffsarchäologie seltene Gelegenheit, Betriebssysteme und Rümpfe antiker Ruderfahrzeuge nebst Resten oder mittelbaren Spuren ihrer Beschläge und Einbauten teils koordinatengerecht zu dokumentieren und zumindest sektional, meist jedoch sogar in vollem Umfang zu einem Schiffskörper mitsamt seinen funktionalen Strukturen zu ergänzen. Maßgerechtes Erfassen von Strecken und Winkeln innerhalb des definierbaren Raumes gewährleistet die dreidimensionale Rekonstruktion der Betriebstechnik, deren Anordnung und Bemaßung durch die biomechanische Einbindung des Ruderers bestimmt waren. In Kenntnis kalkulierbarer Daten eines Bootes – als Minimalanforderung Verdrängung, Tiefgang und Freibord – und unter Heranziehung schiffsarchäologisch-hebelmechanischer Konjekturen zum Bootsriemen entsteht ein fundiertes, sich auf schiffsgeometrische und konstruktive Begründungen berufendes Bild von den Betriebsbedingungen eines Ruderfahrzeuges.

Abb. 56 Mainz, Wrack 1. Achtere Partie eines spätantiken Ruderfahrzeuges nach seiner Konservierung und Remontage im Museum für Antike Schiffahrt (Mainz) in Fundlage. – (Foto V. Iserhardt, RGZM).

Stemmbretter

Der Hälfte der untersuchten Mannschaftsboote schien ein ruderspezifisches Element zu fehlen, das bei leistungsorientiertem Rudern als unverzichtbar zu gelten hat, zumindest aus moderner Sicht. Stemmbretter oder vergleichbare Installationen, die zur Optimierung der biomechanischen Einleitung der Körperkraft ins Wasser beitragen, möchte man gerade den Mannschaftsbooten vom Typ Oberstimm (Nr. 4) zubilligen, wo die hohe Sitzposition der Ruderer im Fußraum ein konstruktives Vakuum hinterlässt (**Abb. 47, 1; 48, 1**), wohingegen die Kleinfahrzeuge aus Yverdon-les-Bains (Nr. 6) und Pisa, nave F (Nr. 3) baumusterbedingt das

1

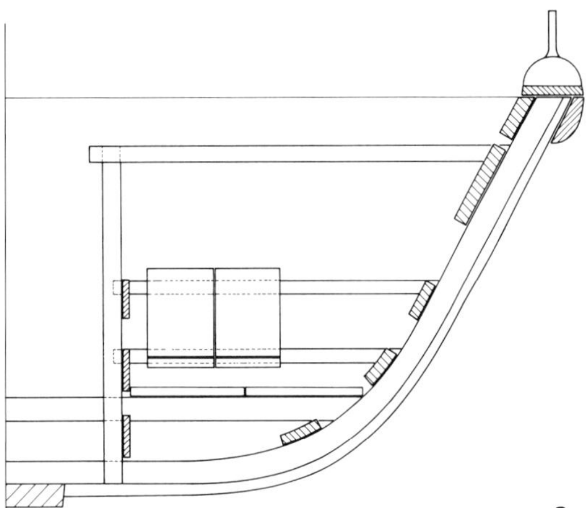

2

Abb. 57 Mainz, Wrack 1: **1** spätantikes Ruderfahrzeug nach seiner Konservierung und Remontage im Museum für Antike Schiffahrt (Mainz). Längsvergurtungen binnenbords mit Lagerrasten für ursprünglich eingelegte Ausstattungsteile. Heck links (Foto R. Bockius). – **2** spätantikes Mannschaftsboot vom Typ Mainz A. Sektionaler Rumpfquerschnitt mittschiffs, Backbordseite. Rekonstruktion der betriebstechnischen Ausstattung gestützt auf schiffsgeometrisch-technische Befunde an den Wracks Mainz 1 und 5.

Abstützen der Füße an querenden Spanten oder unmittelbar auf dem Rumpfboden gewährleistet hätten (**Abb. 42-43**). Der negative Befund in den Oberstimm-Wracks schließt jedoch keineswegs aus, dass diese Boote ursprünglich mit Stemmvorrichtungen versehen waren. Die schiffstechnische Untersuchung förderte immerhin Indizien für eine antik demontierte Wegerung zutage, die sich als Tragwerk für querschiffs eingelegte Stemmbalken geeignet hätte. Für diese Art der Rekonstruktion antiker Stemmvorrichtungen liefern die Überreste großer spätrömischer Mannschaftsboote aus Mainz konkretere Anhaltspunkte.

An zwei Mainzer Schiffsfunden tauchen rasterartig verteilte Merkmale auf, deren funktionale Wertigkeit über das hinausgeht, was andere Relikte antiker Ruderfahrzeuge zu bieten haben. Diese Strukturen verdienen insofern unser Interesse, als sie nicht nur dem Rhythmus der modulierten Mannschaftsverteilung folgen; sie betonen auch den physiologischen Bezug zum individuellen Ruderer deutlicher.

In Mainz, Wrack 1 (**Abb. 56**), der achteren Partie eines großen Riemenbootes mit bis zum Dollbord erhaltener Backbordseite, kamen umfangreiche Reste betriebstechnischer Ausstattung zutage (**Abb. 57, 1**). Ein am Übergang vom Schiffsboden in die Seiten auf die Spanten genagelter Kimmstringer diente über seine Funktion als longitudinale Rumpfvergurtung hinaus als Auflager (Balkweger) für leichte Decksbalken, die beiderseits des Kiels angeordnete zaunartige Längsverzimmerungen gekreuzt hatten. Dort jeweils an zwei Punkten zusätzlich unterfangen, lagen im Fußraum der Ruderer lose Beflurungsplanken auf, wenn man so will eine Bodenverbretterung (die im typgleichen Wrack 5 noch in Resten vorhanden war). Oberhalb des Kimmstringers folgen zwei weitere schmale, auf die Spanten genagelte Längsvergurtungen, deren Oberkanten in regelmäßigen Abständen verteilte rechteckige Aussparungen zeigen. Letztere bilden ein System paarweiser, gegeneinander längsversetzter Ausklinkungen. Dieselbe Merkmalskombination – zwei schräg übereinander platzierte Lagerrasten – begegnet an der Längsverzimmerung des seitlich vom Kiel als Fragment erhaltenen Ständerwerks, dessen Lagerrasten mit einem Paar in den Balkwegern querschiffs eine Flucht bilden. Zwei darin eingelegte Querträger hätten demnach im Fußraum der Rudermannschaft eine schiefe Ebene erzeugt, die sich gemäß den übrigen Befunden in annähernd normierten Abständen von etwas weniger als 1 m am Platz jedes weiteren Ruderers wiederholt hatte. Da die Positionierung der Ruderer durch die in das Ständerwerk integrierten Duchtstützen sowie die in derselben transversalen Flucht im Duchtweger angeordneten Lagerrasten definiert wird, steht außer Zweifel, dass die nur rudimentär überlieferte Konstruktion als Fußstützen bzw. Stemmvorrichtungen wirkte (**Abb. 57, 2; 58**). Als Minimalausstattung ist dort von leichten, lose in die versetzt angeordneten Lagerrasten der Längsgurte an Bordwänden und Ständerwerk eingelegten Querriegeln auszugehen, die ihrerseits als Träger für zwei fußgerecht dimensionierte Brettauflagen gedient haben. Diese Ausstattungskompartimente wurden beim Abwracken des Bootes genauso wie sämtliche leicht demontierbare Bauteile einschließlich der Ruderbänke entfernt. Der mittelbare Nachweis einer Stemmbrettkonstruktion ist als Indiz für den geschwindigkeitsorientierten Ruderbetrieb dieser Bootsgattung mit immerhin mindestens 24 Mann Riemenbesatzung in Anspruch zu nehmen.

Die nach 94-97 cm langen Streckeneinheiten (**Tab. 1**) modulierte rudertechnische Ausstattung von Mainz, Wrack 1 mit Dollen, Duchten und Stemmvorrichtungen spiegelt ein dreidimensionales Konzept mit kleinen individuellen

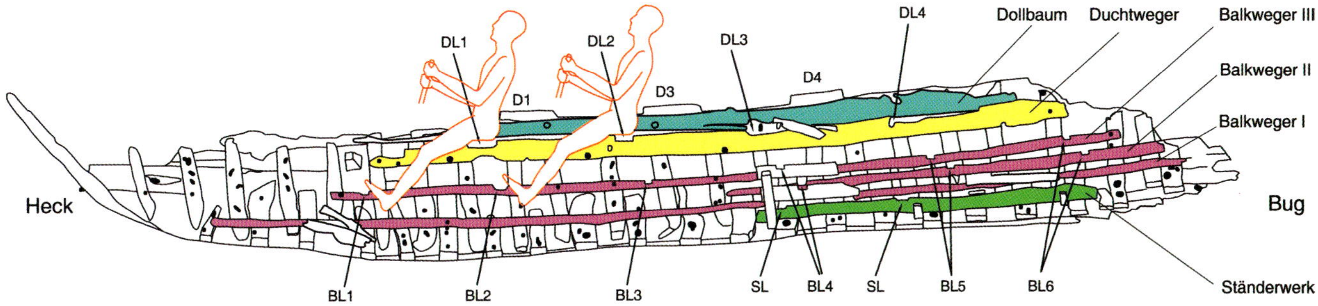

Abb. 58 Mainz, Wrack 1. Spätantikes Ruderfahrzeug. Kolorierter Befundplan binnenbords unter Verwendung der photogrammetrischen Aufnahme von W. Böhler (FH Mainz). Kennzeichnung der betriebstechnischen Komponenten und der zugeordneten Lagerrasten fehlender Bauteile. Heck links. – D Dolle; DL Duchtlager; BL Lagerrast in Balkweger; SL Lagerrast in Ständerwerksvergurtung. – (Nach Bockius 2006).

Unterschieden wider. Das nachzuvollziehen, erfordert präzises Vermessen, nicht allein von Strecken, sondern auch der Winkel in verschiedenen Achsen. Dabei zeigt sich, dass in dem Fahrzeug Individuen bis 1,70/1,75 m Körpergröße unter optimalen Bedingungen unterzubringen waren. Die Füße erreichen bei leicht angewinkelten Beinen die Stemmbretter. Als graphischer Nachweis diente eine anatomische Zeichenschablone im Maßstab 1 : 10 mit der Silhouette eines etwa 1,75 m großen Mannes (**Abb. 58**). Dieselbe antriebsspezifische Ausrüstung ist für das nur bis maximal zur Kimmung erhaltene Wrack 5 aus Mainz vorauszusetzen, das nicht nur haargenau dem von Wrack 1 vertretenen Fahrzeugtypus entspricht; beide Boote werden über einige Jahre hinweg synchron in Fahrt gewesen sein, da ihre dendrochronologisch ermittelte Bauzeit gerade ein halbes Jahrzehnt auseinanderklafft.

Unter den schlecht erhaltenen Mainzer Schiffsfunden gebührt der als Wrack 4 gezählten Bordwand mit auffällig breiter Wegerung aus Rotbuche (**Abb. 59**) aufgrund eines funktional gleichwertigen schiffstechnischen Befundes Aufmerksamkeit. Hier bestanden die Stemmvorrichtungen offenbar nur aus jeweils einem Querträger, der entweder als simple Fußstütze diente; oder die Stemmbretter waren dort vernagelt und weiter unten auf die Bodenverbretterung des Fahrzeuges aufgesetzt, die sich uns lediglich aus den Lagerrasten unregelmäßig verteilter Decksbalken erschließt (**Abb. 60-61**). Dieser nur vage ins spätere 3. bis 4. Jahrhundert zu datierende Bootsrest fällt durch seine mit 85-92 cm vergleichsweise kurzen Deckbalkenmodule auf (**Tab. 1**). Die metrische Taktung lässt sich lediglich an den Ausschnitten im Duchtweger messen; die Ruderbänke wurden hier wie anderswo auch wahrscheinlich beim Abbruch des Bootes entfernt.

Wie den im Plan maßstabsgerecht eingezeichneten Mannsilhouetten zu entnehmen ist, bot dieses Fahrzeug mindestens ein Unterbringungsmodul, das für einen 1,75 m großen Ruderer ganz ungeeignet, weil deutlich zu kurz war (**Abb. 60**). Das ließe sich zwar auch durch eine unbeabsichtigte bootsbauliche Unterschreitung der Norm werten, aber eben auch wieder anders: Das durch bauliche Toleranzen nicht ganz einheitliche, starre Unterbringungssystem konnte einsatzgerecht kompensiert werden, indem man die Rudermannschaft nach großen und kleinen Individuen sortierte und gemäß dem verfügbaren Raumangebot im Rumpf verteilte. Wie anthropologisch untersuchte Skelette von spätantiken Friedhöfen an spätrömischen Truppenstandorten in den nördlichen Provinzen erkennen lassen, zählten dort Männer mit rund 1,75 m Körpergröße zu den überdurchschnittlich großen, wenn auch nicht zu den größten Menschen. Der Durchschnitt liegt im Nordwesten der Provinzen bei rund 1,7 m; im Mittelmeerraum sogar darunter. Nichts hindert daran anzunehmen, dass auch kleinere Ruderer für solche Fahrzeuge rekrutiert worden sind.

Ein riementechnisch-physiologischer Aspekt, am Wrack 1 aus Mainz in Erscheinung tretend, verdient gleichermaßen Aufmerksamkeit: Die

Abb. 59 Mainz, Wrack 4. Spätantikes Ruderfahrzeug nach seiner Konservierung und Remontage im Museum für Antike Schiffahrt (Mainz). Längsvergurtungen binnenbords mit Lagerrasten für ursprünglich eingelegte Ausstattungsteile. Ausschnitt. Heck rechts. – (Foto R. Bockius).

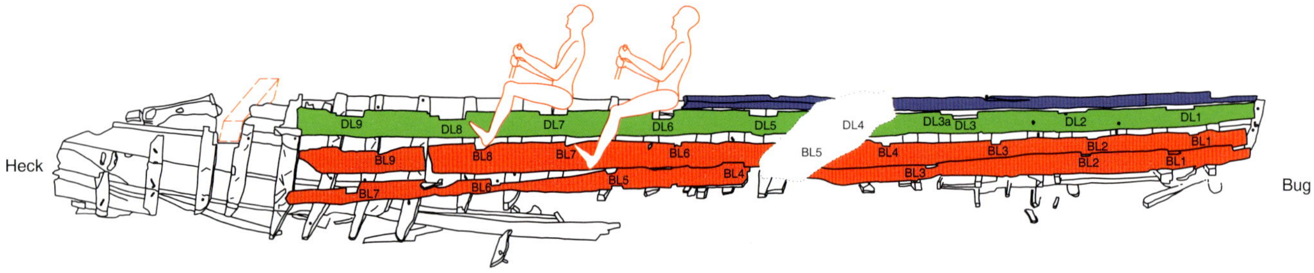

Abb. 60 Mainz, Wrack 4. Spätantikes Ruderfahrzeug. Kolorierter Befundplan binnenbords unter Verwendung der photogrammetrischen Aufnahme von W. Böhler (FH Mainz). – Blau: Dollbaum; grün: Duchtweger mit Lagerrasten (DL); rot: Balkweger mit Lagerrasten (BL). – (Nach Bockius 2006).

Distanzen zwischen den heckwärtigen Kanten der Duchten und ihren assoziierten Dollpflöcken (**Abb. 58**) fallen mit 51-58 cm erstaunlich groß aus. Zwar hingen die Riemen, wie beim antiken Ruderfahrzeug üblich, bugwärts vom Widerlager (S. 37; **Abb. 31; 57, 1**). Das verkürzte aber die Strecke zwischen Ruderer und Drehpunkt gerade um 4-5 cm, die Hälfte des Riemenschaftdurchmessers. Zur biomechanischen Beurteilung dieser gut 0,5 m langen Distanz, die durch die Armeslänge und die oszillierende Bewegung des Oberkörpers zu überbrücken war, lohnt ein Blick auf das Betriebssystem traditioneller Arbeits- und Mannschaftsboote auf den Britischen Inseln. Äquivalente Strecken pflegten dort lediglich 25,5-30,5 cm lang zu sein. Die ohnedies zierlichere Statur spätrömischer Bootsbesatzungen und ihre kürzeren Extremitäten berücksichtigend, ist daraus zu schlussfolgern, dass jenes Fahrzeug mit kurzen, eher harten Schlägen gerudert wurde; mit anderen Worten: Ruderer verkürzten ihre Riemenauslagen und den Durchzugssektor.

Die zuvor dargelegte Herleitung eines spezifischen Handlings bedarf noch eines Kommentars: Wir müssen uns vergegenwärtigen, dass antike Rudertechniken auf die Eigenarten der Fahrzeuge abgestimmt wurden. Dafür lassen sich andere Quellen heranziehen, die das Phänomen eindrücklich visualisieren. Hatten schon die zuvor erörterten Binnenfahrzeuge mit den physiologischen Abläufen auf heutigen Sportruderbooten nicht allzu viel gemein, waren küsten- oder seetaugliche Ruderschiffe am wenigsten mit einem modernen Skiff zu verwechseln. Seegehende Ruderschiffe hatten so viel Freibord, dass daraus entweder ungünstige Riemenlängen und -gewichte oder relativ große Eintauchwinkel resultierten; beides für sich genommen mag sich als nachteilig erweisen, war indes bei geeigneter Kompromissfindung hinnehmbar. Überlange Riemenholme waren binnenbords angesichts räumlicher Enge antiker Kriegsschiffe ohnehin nicht vorgesehen, und allzu steile Eintauchwinkel der Riemen stoßen an biomechanische Grenzen. Ruderer behalfen sich durch eine uns heute wenig vertraute gegenläufige Haltung der Griffhände (**Abb. 62**).

Für die überdurchschnittlich gut erhaltenen, überdies auch schiffsgeometrisch annähernd exakt ergänzbaren Boote von Oberstimm lieferte bereits die veröffentlichte archäologisch-schiffstechnische Auswertung Parameter, die auf komparativer und arithmetischer Basis die Fahreigenschaften und -leistungen unter Riemen bewerteten. Von der zunächst – je nach subjektiver Sichtweise – um einen Zähler überschätzten Marschfahrt von 6 Knoten abgesehen, bestätigten im Frühjahr 2008 in der Schiffbau-Versuchsanstalt Potsdam für eine präzise Modellrekonstruktion von Oberstimm 1 durch-

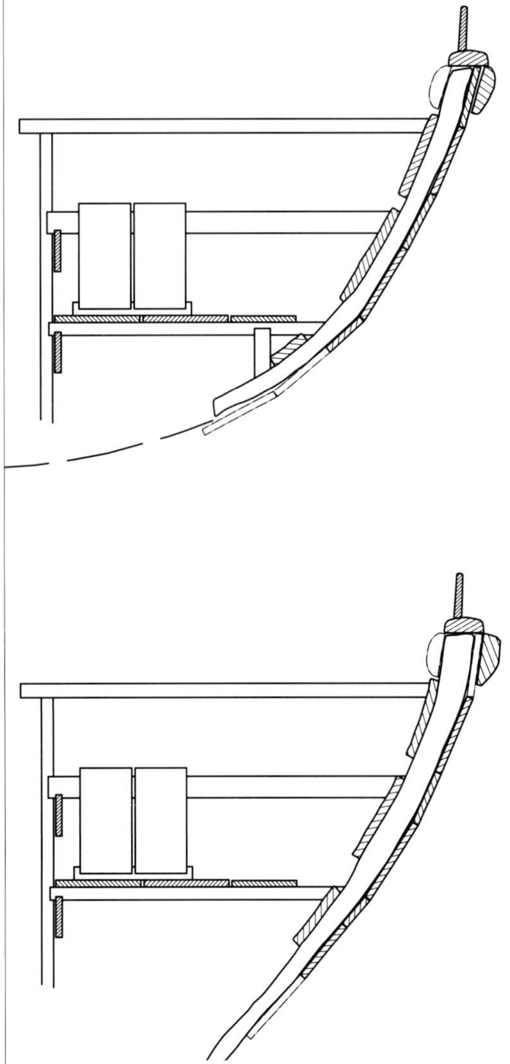

Abb. 61 Mainz, Wrack 4. Spätantikes Ruderfahrzeug. Sektionale Rumpfquerschnitte, Backbordseite. Rekonstruktionsentwurf der betriebstechnischen Ausstattung an den Spantarealen A18 (oben) und A20 (unten). – (Nach Bockius 2006).

geführte Widerstandsmessungen im Schlepptank (Abb. 63) die auf theoretischer Grundlage ermittelte günstige Einschätzung. Die experimentell und rechnerisch gefundenen Resultate bescheinigen dem Fahrzeug einen geringen Wellenwiderstand sowie ein leistungsstarkes, auf Geschwindigkeit getrimmtes konstruktiv-formales Design. Aus den bei dem Tankversuch für unterschiedliche Fahrstufen ermittelten Widerstandswerten wurden arithmetisch unter Berücksichtigung von Wirkungsverlusten Leistungsgrößen abgeleitet: Eine Fahrt von 4 Knoten zu halten, verlangte jedem der 20 Ruderer eine effektive Leistung von lediglich 32 W ab, bei 6 Knoten Fahrt durchs Wasser 110 W. Eine Steigerung der Geschwindigkeit auf 8 Knoten liefe rechnerisch auf die effektive Gesamtleistung von 4,4 kW bzw. auf ansehnliche 210 W pro Mann hinaus, die von untrainierten Testpersonen nur befristet gehalten werden, für den modernen Athleten hingegen eher einer Ruheleistung gleichkommen. Die Frage, ob dieser theoretische Wert erreicht (oder gar kurzfristig überschritten) werden konnte, steht und fällt mit der problematischen Beurteilung einer Umsetzbarkeit durch das starre Riemensystem und dem uns unbekannten Trainingsstatus der antiken Bootsbesatzung. Freilich möchte man die körperliche Fitness antiker »Berufsruderer« nicht zu gering veranschlagen. Gleichwohl bleibt eine anzunehmende Höchstfahrt von 6-7 Knoten beachtlich, umso mehr als hier in Erinnerung zu rufen ist, dass es sich bei dem untersuchten Bootskörper um den Vertreter eines militärischen Anforderungen gerecht gewordenen Fahrzeugtyps handelt, nicht um ein Sportgerät im modernen Sinne.

Eine unter der Ägide des Lehrstuhls für Alte Geschichte der Universität Regensburg 2004 fertiggestellte Fahrreplik (»Navis Lusoria«) beansprucht für sich, die für das Ende des 4. Jahrhunderts bezeugten Mainzer Mannschaftsboote (Typ Mainz A) wirklichkeitsnah, historisch zuverlässig nachzubilden. Sie unterscheidet sich von der im Museum für Antike Schiffahrt des Römisch-Germanischen Zentralmuseums (Mainz) gezeigten Rekonstruktion in natürlicher Größe (Abb. 64) nicht nur äußerlich. Gravierender wirken sich strukturelle, besonders den Riemenantrieb und die Rumpfform betreffende bauliche Maßnahmen aus, die in der umgesetzten Weise einerseits dem archäologischen Befund zuwiderlaufen (Unterfangung der Duchten und Längsversteifung; Dollen und Riemenlagerung), andererseits eine aus schiffsphysikalischem Blickwinkel unglückliche Gestaltung im Detail erzeugt haben (widerstandsträchtiger platter Bug über der Wasserlinie, der bei Wellenschlag oder Unterschneidung Energie verbraucht). Überdies liegen dem Mainzer ebenso wie dem Regensburger Nachbau Rekonstruktionsentwürfe zugrunde, die von deutlich mehr Rumpflänge ausgingen, als in der später abgeschlossenen Auswertung der Wracks begründet. Schränken die bau- und beschlagstechnischen Abweichungen den Wert der Regensburger Replik als archäologisch vertretbare Nachbildung und auch konstruktiv repräsentatives Experimentalfahrzeug ein, sind die Daten aus den an ihr unternommenen Schlepptankversuchen leider nicht zu gebrauchen.

Kommen wir zurück zu der Frage nach dem Boots- und Schiffsmaterial, das im Rudersport des Altertums verwendet wurde. Eine genaue Vorstellung vom Aussehen des in Betracht zu ziehenden Sportgeräts erhält man scheinbar nur dort, wo erhaltene Fahrzeuge klare Merkmale leistungsorientierten Ruderns liefern. Die an Donau und Rhein ausgegrabenen Wracks aus dem frühen 2. und dem 4. Jahrhundert (Nr. 4-5) können noch am ehesten für sich beanspruchen, zu jener Kategorie zu zählen. Wenn auch zweifelsohne auf militärische Einsatzfahrzeuge zurückgehend, hätten sich hier jenseits ihrer operativen Zweckbestimmung sehr wohl Möglichkeiten zu sportlicher Verwendung geboten. Ähnliches trifft für das außerordentlich schlanke, ungewöhnlich geriggte Boot F aus Pisa (Nr. 3)

Abb. 62 Trajanssäule (Rom). Reliefausschnitt Cichorius, Szene XXXIV oben, mit der Darstellung eines zweireihigen Kriegsschiffes mit einzeln besetzten Riemen. Grifftechnik der Riemenholme. – (Foto C. Beeck, RGZM; nach einer Kopie im Museum für Antike Schiffahrt, Mainz).

Abb. 63 Widerstandsmessung eines Modellrumpfes des Mannschaftsbootes Oberstimm 1 in der Schiffbau-Versuchsanstalt Potsdam bei einer simulierten Fahrt von 5 Knoten. – (Nach Aßkamp/Schäfer 2008).

zu. Da gemäß historischer Überlieferung gerade militärische Wasserfahrzeuge das Reservoir antiker rudersportlicher Betätigung geboten haben, stellen jene Einheiten noch die besten Gradmesser dar. So wie für aufwendig inszenierte Schiffskämpfe in Rom eigens Kulissen und Anlagen geschaffen wurden, mögen auch dafür geeignete Fahrzeuge hergestellt worden sein; gewöhnlich werden sich aber die Veranstalter bei der misenischen Flotte oder in Rom selbst liegenden Detachements bedient haben, wo es an Material nicht gemangelt haben kann, oder Austragungsorte zwangen zum Neubau geeigneter Rümpfe. Zu den bei der römischen Truppe registrierten Booten und Kriegsschiffen als Medium für Training, Wettkampf und unterhaltungsträchtiges Spektakel wurde zuvor das Nötige gesagt. Darunter befanden sich über große Kampfschiffe mit komplexen Riemensystemen hinaus auch Kleinfahrzeuge. Letztere waren es, die insbesondere abseits des propagandistisch intendierten Spiels zum Einsatz kamen. Leider wissen wir über sie viel zu wenig. Zwar ist mit der Existenz von Sonderfahrzeugen zu rechnen, die sich die römische Oberschicht zum Freizeitgebrauch bauen ließ. Ob es sich dabei freilich um spezielles Wettkampfgerät handelte oder vielseitig verwendbare Boote ohne Geschwindigkeit begünstigende Bauart und Ausstattung, geben die Quellen nicht preis.

Abb. 64 Spätantikes Mannschaftsboot vom Typ Mainz A. Replik im Museum für Antike Schiffahrt, Mainz. Blick über den Bug nach achtern. – (Foto R. Bockius).

Literatur

Erhaltene antike Ruderfahrzeuge

Engelhardt 1865. – Steffy 1985; 1993. – Arnold 1992. – Bruni 2000. – Bockius 2002a; 2002b; 2002c; 2006; 2007a; 2007b; 2012b. – Crumlin-Pedersen/Trakadas 2003. – Camilli/Setari 2005. – Bonino 2006; 2010. – Løset im Druck.

Schiffsphysikalische Berechnungen und experimentelle Tests

Morrison/Coates 1989; 1990. – Coates/Platis/Shaw 1990. – Shaw 1993a; 1993b. – Crumlin-Pedersen 1997. – Jensen 1997; 1999. – Bockius 2002c. – Ferkel/Konen/Schäfer 2004. – Schäfer 2008. – Aßkamp/Schäfer 2008. – Grabert/Schäfer 2008. – Himmler/Konen/Löffl 2009. – Coates 2012. – Rankov 2012.

Schriftliche Zeugnisse

Papyrus und Inschriften

[1] Papyrus Kairo, Zenon I 59054, Zeile 44 (Auszug aus einer Ausrüstungsliste für eine Frachtfahrt auf dem Nil; April 257 v. Chr.)

[ύ]π̣ηρέσια κερκούρου κ

Kissen für den Kerkouros [geruderter Kornfrachter]: 20.
(Übersetzung R. Bockius)

[2] Sphinx-Stele des Amenophis II. aus Gizeh (Übersetzung auszugsweise nach Decker 1975, 53-61 Nr. 17)

... Stark [waren seine] Arme, ohne dass er ermüdete. Wenn er das Steuerruder packte und am Heck seines Falkenschiffes steuerte als Bestimmer von 200 Mann. Man hörte auf, nachdem sie [eine Leistung von] ½ itrw Fahrt erbracht hatten, denn sie waren schwach und ihre Glieder müde geworden, sie bekamen keine Luft mehr. Seine Majestät aber war stark mit seinem Steuerruder von 20 Ellen Länge. Wenn er aufgehört [...] und sein Falkenschiff gelandet hatte, da hatte er [eine Leistung von] 3 itrw im Steuern gebracht, ohne eine Pause beim Anpacken gemacht zu haben. Die Gesichter waren voller Bewunderung, die ihm zuschauten, wenn er dieses tat ...

[3] Hieroglyphentext aus dem Grab des Tutenchamun (nach Decker/Kurth 1999, 21 f.)

Es erschien der König in eigener Person, der König von Ober- und Unterägypten, der Herr der Beiden Länder, [...] um die besten Rudermannschaften auszulesen, indem Seine Majestät – er lebe, sei heil und gesund – kam, um die Besten zu ermitteln unter den Jungmannschaften, die er hatte trainieren lassen. Dabei war Seine Majestät – er lebe, sei heil und gesund – von Herzen froh, als er das zahlreiche Heer betrachtete, der Sohn des Re [...] mit Leben beschenkt.

[4] Attische Inschriftenstele, 192/193 n. Chr. (IG II^2 2130, Zeilen 48-49)

Φιλιστείδ[ης ͻ Πειρ]αιεὺς καὶ Πο Αἴλ
Κορνήλιος Παλ
ναυμαχ[ήσαντε]ς Μουνίχια
συνεστεφανώθησαν

Philisteides, des Philisteides Sohn, aus Piraieus und Publius Aelius Kornelius aus dem Demos Pallene ehrten in Mounichia die Regattateilnehmer.
(Übersetzung R. Bockius)

[5] Attische Inschriftenstele, 1. Hälfte 4. Jahrhundert v. Chr. (IG II^2 2311, Zeilen 78-81)

νικητήρια νεῶν ἁμίλλης
HHH τῆι φυλῆι τῆι νικώσε[ι βόες τρεῖς]?
HH κ[α]ὶ εἰς ἑστίασιν
HH τῆ[ι δε]υ[τέ]ραι β[όες δύο]

Siegprämien der Regatta
300 [Drachmen] der Phyle, die siegte, drei Rinder
200 [Drachmen] auch für die Gastmäler
200 [Drachmen] den Zweitplatzierten, zwei Rinder
(Übersetzung R. Bockius)

[6] Monumentum Ancyranum 23

Navalis proeli spectaculum populo [dedi tr]ans Tiberim in quo loco nunc nemus est Carsarum, cava[to solo in] longitudinem mille et octingentos pedes, in latitudine[m mille et] ducenti. In quo triginta rostrae naves triremes [et birem]es, pluris autem minores inter se conflixerunt. [In quibus c]lassibus pugnaverunt praeter remiges millia ho[minum tr]ia circiter.
(Ergänzungen nach Th. Mommsen, Res Gestae Divi Augusti [Berlin 1865])

Dem Volk habe ich das Schauspiel einer Naumachie geboten, nachdem jenseits vom Tiber an der Stelle, wo jetzt die Gärten der Caesaren sind, die Erde ausgegraben war auf 1800 Fuß Länge und 1200 Fuß Breite. Dort sind 30 rammspornbewehrte Triremen und Biremen, ferner ein größerer Teil kleinerer Fahrzeuge aufeinandergestoßen. In jener Flotte haben außer den Ruderern etwa 3000 Menschen gegeneinander gekämpft.
(Übersetzung R. Bockius)

[7] Fasti Ostienses, Zeilen 9-16 zum Jahr 109 n. Chr. (Vidman 1982)

X K IVL · IMP · NERVA · TRAIANVS · CAES · AVG · GERM
DACICVS · THERMAS · SVAS · DEDICAVIT · ET · PVBLICAVIT
VIII · K · IVL · AQVAM · SVO · NOMINE · TOTA · VRBE
SALIENTEM · DEDICAVIT · K · NOV · IMP · TRAIANVS
MVNVS · SVVUM · CONSVMAVIT · DIEBVS · CXVII ·
GLADIATORVM · P · P · IIII · DCCCCXLIS · III · ID · NOV ·
[i]MP · TRAIANVS · NAVMACHIAM · SVAM · DEDICAVIT
[in]QVA · DIEB · VI · PP · CXXVIIS · ET · CONS-
VMM · VIII · K · DEC

Am 10. Tag vor den Kalenden des Juli hat Kaiser Nerva Traianus Caesar Augustus, Bezwinger der Germanen und Daker, seine Thermen eingeweiht und eröffnet. Am 8. Tag vor den Kalenden des Juli hat er persönlich die in der ganzen Stadt [Rom] sprudelnde Wasserleitung eingeweiht. Bis zu den Kalenden des November hat Kaiser Trajan seine Festspiele ausgerichtet an 117 Tagen mit 4941 Gladiatorenpaaren. Am 3. Tag vor den Iden des November hat Kaiser Trajan seine Naumachie eingeweiht, in der an sechs Tagen 127 Kombatantenpaare auftraten, und am 8. Tag vor den Kalenden des Dezember vollbracht.
(Übersetzung R. Bockius)

[8] Inschrift teils unsicherer Lesung aus dem Oxa-Gebirge zwischen Elountas (Olous) und Agios Nikolaos an der nordöstlichen Küste Kretas (Van Effenterre 1955)

Νίκων δὶς κα[τὰ]
τὰν ναυμαχίαν
ἔθηκε ὃ ἐδέξα[το]

Wer zwei Siege schaffte während der Seeschlacht, der sei beglückwünscht!
(Übersetzung R. Bockius)

Antike Autoren

[9] Aristophanes, Frösche, 1078-1079 (Antwort des Dionysos an Aischylos)

νη τον Απόλλω καὶ προσπαρδεῖν γ᾽ἐς τὸ στόμα θαλάμακι
καὶ μινθῶσαι τον ξυσσιτον κἀκβὰς τινὰ λωποδυτῆσαι

Ja bei Apoll! Und ferner [lehrte ich] auch ins Maul zu furzen dem Thalamax [Ruderer zuunterst im Schiff], und den Tischgenossen anzukacken, und, [aus dem Schiff] ausgestiegen, etwas zu klauen.
(405 v. Chr.; Übersetzung R. Bockius)

[10] Arrianos, anabasis VII 23,5

Ἐν τούτῳ δὲ πολλάκις μὲν τοῦ ναυτικοῦ ἀπεπειρᾶτο πολλαὶ δὲ ἔριδες αὐτῷ τῶν τριηρῶν καὶ ὅσαι τετρήρεις κατὰ τὸν ποταμὸν ἐγίγνοντο, καὶ ἀγῶνες τῶν τε ἐρετῶν καὶ τῶν κυβερνητῶν καὶ στέφανοι τῶν νικώντων ·

Unterdessen exerzierte Alexander die Flotte fortwährend, und es gab viel Wetteifer zwischen Triëren und solchen Tetrëren, die auf dem Fluss waren; und da waren Wettkämpfe zwischen Ruderern und zwischen Steuerleuten, und Kränze für die Sieger.
(Frühjahr 323 v. Chr.; Übersetzung R. Bockius nach E. I. Robson, The Loeb Classical Library, Nr. 269 [London, Cambridge/Mass. 1966])

[11] Aurelius Victor, Liber de caesaribus 28,1

exstructoque trans Tiberim lacu quod eam partem aquae penuria fatigabat annum urbis millesimum ludis omnium generum celebrant.

Und nachdem am jenseitigen Tiberufer ein See angelegt worden war, weshalb Wassermangel diesem Teil zusetzte, begingen sie [Philippus Arabs und sein Sohn] das tausendste Jahr der Stadt mit Spielen aller Art.
(Übersetzung R. Bockius)

[12] Ausonius, Mosella 200-221

Haec quoque quam dulces celebrant spectacula pompas/ remipedes medio certant cum flumine lembi/ et varios ineunt flexus viridesque per oras/ stringent attonsis pubentia germina pratis!/ Puppibus et proris alacres gestire magistros/ impubemque manum super amnica terga vagantem/ dum spectat transpire diem, sua seria ludo/ posthabet; excludit veteres nova gratia curas./ Quales Cumano despectat in aequore ludos /Liber sulphurei cum per iuga consita Gauri/ perque vaporiferi graditur vineta Vesevi,/ cum Venus Actiacis Augusti laeta triumphis/ ludere lascivos fera proelia iussit Amores,/ qualia Niliacae classes Latiaeque triremes/ subter Apollineae gesserunt Leucados arces;/ aut Pompeiani Mylasena pericula belli/ Euboicae referent per Averna sonantia cumbae;/ Innocuous ratium pulsus pugnasque iocantes/ naumachiae Siculo quales spectante Peloro/ caeruleus viridi reparat imagine pontus:/ Non aliam speciem petulantibus addit ephebis /pubertasque amnis et picti rostra phaseli./

Lieblichen Anblick gewährt dem Auge solcherlei Schauspiel,/ wenn die beruderten Kähne bald kämpfen mitten im Strom und/ mancherlei Wendung beginnen, und bald längs gründendem Ufer/ ueppige Keime der frisch gemähten Wiese bestreifen./ Wenn, wie hinten im Kahn, so vorn, man die munteren Steurer/ sieht, und der Knaben Hauf, der froh auf der Fläche umherschweift./ Schiffend erblickt, vergisst man der Zeit und ernster Geschäfte,/und die Anmut des Spiel's vertreibt die früheren Sorgen./ Solcherlei Spiel erblickt auf Cumä's Wogen Lygäus,/ wenn er auf rebenbewachsener Höh des schwefligen Gaurus/ wandelt, und in Vesuvs, des dampfaushauchenden, Weinberg./ Als ob August's Triumpf bei Actium Venus erfreut einst/ gaukelnden Amorn befahl, die wilden Schlachten im Spiele/ aufzuführen, die Roms Dreiruder und nilische Schiffe/ unter Leucas Burg, geweiht dem Apollo, geliefert./ Oder des pompejanischen Krieg's Gefahren bei Mylä/ auf Avernums ertönendem See euboische Kähne/ vorstell'n und den unschädlichen Kampf und die spielende Seeschlacht,/ wie in Pelorus Gesicht, des Sikulischen, bläuliche Meerfluth/ unter grünlichem Bild abspiegelt. Ebenso hier auch/ leih'n die Jugend, der Fluß und die bunt gemalten Kähne/ keine andre Gestalt dem Heer muthwilliger Knaben. /
(nach L. Tross, Des D. M. Ausonius Mosella [Hamm 1821])

[13] Ausonius, Mosella 10,225-227

Utque agiles motus dextra laevaque frequentant/ et commutatis alternant pondera remis,/ unda refert alios simulacra umentia nautas:/

Und wenn sie [Jugendliche auf der Mosel] ihre emsigen Ruderschläge vollführen mit der rechten und der linken Hand, und ihr Körpergewicht mal auf dieses, mal auf jenes Ruder werfend, spiegelt die Welle durch nassen Schein andere Seeleute.
(Übersetzung R. Bockius nach H. G. E. White, The Loeb Classical Library, Nr. 96 [London, Cambridge/Mass. 1968])

[14] Cassius Dio, Römische Geschichte, XLIII 23,4

καὶ τέλος ναυμαχίαν οὐκ ἐν τῇ θαλάσσῃ οὐδὲ ἐν λίμνῃ τινὶ ἀλλ᾽ ἐν τῇ ἠπείρῳ ἐποίησε · χωρίον γάρ τι ἐν τῷ᾽ Αρείῳ πεδίῳ κοιλάνας ὕδωρ τε ἐς αὐτὸ ἐσῆκε καὶ ναῦς ἐσήγαγεν. ἐμάχοντο δὲ ἐν πᾶσι τοῖς ἀγῶσιν οἵ τε αἰχμάλωτοι καὶ οἱ θάνατον ὠφληκότες ·

Schließlich veranstaltete er [Caesar] eine Naumachie, nicht auf dem Meer und auch nicht auf irgendeinem See, sondern auf festem Land; denn nachdem er auf dem Marsfeld ein bestimmtes Gelände ausgehoben hatte, setzte er es unter Wasser und schaffte Schiffe hinein. In allen Wettkämpfen fochten Kriegsgefangene und zum Tode Verurteilte.
(46 v. Chr.; Übersetzung R. Bockius nach E. Cary, The Loeb Classical Library, Nr. 66 [London, Cambridge/Mass. 1969])

[15] Cassius Dio, Römische Geschichte, XLVIII 19,1

Γενομένου δὲ τούτου τήν τε νῆσον πᾶσαν ὁ Σέξτος κατέσχε, καὶ τὸν Βιθυνικὸν ὡς καὶ ἐπιβουλεύσαντα αὐτῷ ἀπέκτεινε, θέας τε ἐπιινικίους ἤγαγε καὶ ναυμαχίαν τῶν αἰχμαλώτων ἐν τῷ πορθμῷ παρ' αὐτὸ τὸ Ῥήγιον, ὥστε καὶ τοὺς ἐναντίους ὁρᾶν, ἐποίησε, πλοιάριά τινα ξύλινα πρὸς ἕτερα βύρσινα ἐς τὸν τοῦ Ῥούφου κατάγελων συμβαλών ·

Danach besetzte Sextus die ganze Insel und verurteilte Bithynikos zum Tode, weil er sich gegen ihn verschworen hatte. Auch veranstaltete er Siegesschauspiele, und inszenierte ein Seegefecht zwischen den Gefangenen in der Meerenge bei Rhegion selbst, damit seine Gegner zuschauen konnten, wobei er, Rufus zum Gespött, kleine hölzerne Boote zwang, gegen andere aus Leder anzutreten.
(42 v. Chr.; Übersetzung R. Bockius nach E. Cary, The Loeb Classical Library, Nr. 82 [London, Cambridge/Mass. 1969])

[16] Cassius Dio, Römische Geschichte, LIX 10,5

ἐποίησε δὲ τοὺς ἀγῶνας τούτους τὰ μὲν πρῶτα ἐν τοῖς Σέπτοις, πᾶν τὸ χωρίον ἐκεῖνο ἐξορύξας καὶ ὕδατος πληρώσας, ἵνα μίαν ναῦν ἐσαγάγῃ, ἔπειτα δὲ καὶ ἑτέρωθι, πλεῖστά τε καὶ μέγιςτα οἰκοδομήύατα καθελὼν καὶ ἰκρία πηξάμενος · τὸ γὰρ τοῦ Ταύρου θέατρον ὑπερεφρόνησε ·

Er [Caligula] veranstaltete diese Wettkämpfe zuerst in der Saepta, nachdem das ganze Gelände [zwischen den Portiken] ausgehoben und mit Wasser gefüllt wurde, auf dass ein einzelnes Schiff hineingeschafft werde, doch danach an anderer Stelle, wo er sehr viele und sehr große Gebäude beseitigt und Tribünen aufgestellt hatte, denn er verachtete das Theater des [Statilius] Taurus.
(um 38 n. Chr.; Übersetzung R. Bockius nach E. Cary, The Loeb Classical Library, Nr. 175 [London, Cambridge/Mass. 1968])

[17] Cassius Dio, Römische Geschichte, LX 21,5

τὴν δὲ δὴ λίμνην τὴν Φουκίνην τὴν τῶν Μαρσῶν ἠθέλησε μὲν ἐς τὸν Λῖριν ἐξαγαγεῖν, ὅπως ἥ τε χώρα ἡ περὶ αὐτὴν γεωργῆται καὶ ὁ ποτταμὸς ναυσίπορος μᾶλλον γένηται …

Er [Claudius] wollte damals den Fucinus-See im Land der Marser in den Fluss Liris ableiten, damit das umgebende Land bebaubar und der Fluss besser schiffbar werde.
(Übersetzung R. Bockius)

[18] Cassius Dio, Römische Geschichte, LXI 9,5

Ἐν δέ τινι θεάτρῳ θέας ἐπιτελῶν εἶτα πληρώσας ἐξαίφνης τὸ θέατρον ὕδατος θαλασσίου ὥστε καὶ ἰχθύας καὶ κήτη ἐν αὐτῷ νήχεσθαι, ναυμαχίαν τε ἐποίησε Περσῶν δὴ τινῶν καὶ Ἀθηναίων, καὶ μετ' αὐτὴν τό τε ὕδωρ εὐθὺς ἐξήγαγε, καὶ ξηράνας τὸ δάπεδον πεζοὺς πάλιν οὐχ ὅπως ἕνα πρὸς ἕνα ἀλλὰ καὶ πολλοὺς ἅμα πρὸς ἴσους συνέβαλεν ·

Im Laufe einer Aufführung in einem der Theater füllte er [Nero] plötzlich die Arena mit Seewasser, sodass Fische und Meeresungeheuer darin schwammen, und er inszenierte ein Seegefecht zwischen Athenern und Persern. Danach stoppte er sofort den Wasserzulauf, trocknete den Boden und fuhr fort mit Kampfspielen, einer gegen den anderen und viele in gleicher Stärke.
(57 n. Chr.; Übersetzung R. Bockius nach E. Cary, The Loeb Classical Library, Nr. 176 [London, Cambridge/Mass. 1968])

[19] Cassius Dio, Römische Geschichte, epit. LXII 12,2

ναῦν ἰδόντες ἐν τῷ θεάτρῳ διαλυομένην τε αὐτὴν ἐφ' ἑαυτῆς καί τινα θηρία ἀφιεῖσαν, καὶ συνισιαμένην αὖ πάλιν ὥστε καὶ ἐρρῶσται, τοιαύτην ἑτέραν ταχέως ἐναυπηγήσαντο ·

Eines Tages sahen sie [Sabina und Nero] im Theater ein Schiff, das sich von selbst zerlegte, einige Tiere entließ und dann wieder zusammenging, als sei es wieder seetauglich.
(vor dem 23. März 59 n. Chr.; Übersetzung R. Bockius nach E. Cary, The Loeb Classical Library, Nr. 176 [London, Cambridge/Mass. 1968])

[20] Cassius Dio, Römische Geschichte, epit. LXII 15,1

Τοσαύτη δ᾿ ἦν ἡ τοῦ Νέρωνος ἀκολασία ὥστε καὶ ἅρματα δημοσίᾳ ἤλαυνε. καὶ ποτε θηρία ἀποκτείνας ὕδωρ τε εὐθὺς ἐς τὸ θέατρον ἐπωχέτευσε καὶ ναυμαχίαν ἐπετέλεσε, καὶ μετὰ τοῦτο τὸ ὕδωρ ἀφεὶς μονομαχίαν ἐπιδιέθηκε, καὶ τέλος ἐσαγαγὼν αὐτὸ αὖθις δεῖπνον δημοσίᾳ πολυτελὲς ἐδείπνισεν ·

So weit reichte Neros Zügellosigkeit, dass er sogar in der Öffentlichkeit Wagen fuhr. Und nach einer Tierhatz leitete er sogleich Wasser ins Theater und veranstaltete eine Naumachie; dann leitete er das Wasser ab und ordnete Gladiatorenkampf an, und schließlich dasselbe wieder einleitend, tischte er öffentlich kostbare Speise auf.
(64 n. Chr.; Übersetzung R. Bockius nach E. Cary, The Loeb Classical Library, Nr. 176 [London, Cambridge/Mass. 1968])

[21] Cassius Dio, Römische Geschichte, epit. LXII 20,5

ποιήσας δὲ ταῦτα ἐδείπνισε τὸν δῆμων ἐπὶ πλοίων ἐν τῷ χωρίῳ ἐν ᾧ ἡ ναυμαχία ὑπὸ τοῦ Αὐγούστου ἐγεγόνει. καὶ ἐξ αὐτοῦ νυκτὸς μεσούσης ἐς τὸν Τίβεριν διὰ τάφρου κατέπλευσε·

Nach dieser Vorstellung unterhielt er [Nero] das Volk bei einem Bootsfest an dem Platz, wo Augustus den Schiffskampf veranstaltet hat; und von dort fuhr er um Mitternacht durch einen Kanal in den Tiber.
(59 n. Chr.; Übersetzung R. Bockius nach E. Cary, The Loeb Classical Library, Nr. 176 [London, Cambridge/Mass. 1968])

[22] Cassius Dio, Römische Geschichte, epit. LXVI 25,2-4

2 ἄνδρες τε πολλοὶ μὲν ἐμονομάχησαν,
πολλοὶ δὲ καὶ ἀθρόοι ἔν τε πεζομαχίαις καὶ
ἐν ναυμαχίαις ἠγωνίσαντο· τὸ γὰρ θέατρον
αὐτὸ ἐκεῖνο ὕδατος ἐξαίφνης πληρώσας
ἐσήγαγε μὲν καὶ ἵππους καὶ ταύρους καὶ
ἄλλα τινὰ χειροήθη, δεδιδαγμένα πάνθ᾽
ὅσα ἐπὶ τῆς γῆς πράττειν καὶ ἐν τῷ ὑγρῷ,
3 ἐσήγαγε δὲ καὶ ἀνθρώπους ἐπὶ πλοίων·
καὶ οὗτοι μὲν ἐκεῖ, ὡς οἱ μὲν Κερκυραῖοι οἱ
δὲ Κορίνθιοι ὄντες, ἐναυμάχησαν, ἄλλοι
δὲ ἔξω ἐν τῷ ἄλσει τῷ τοῦ Γαΐου τοῦ τε
Λουκίου, ὅ ποτε ὁ Αὔγουστος ἐπ᾽ αὐτὸ
τοῦτ᾽ ὠρύξατο· καὶ γὰρ ἐνταῦθα τῇ μὲν
πρώτῃ ἡμέρᾳ μονομαχία τε καὶ θηρίων
σφαγή, κατοικοδομηθείσης σανίσι τῆς κατὰ
πρόσωπον τῶν εἰκόνων λίμνης καὶ ἰκρία 4
πέριξ λαβούσης, τῇ δὲ δευτέρᾳ ἱπποδρομία
καὶ τῇ τρίτῃ ναυμαχία τρισχιλίων ἀνδρῶν
καὶ μετὰ τοῦτο καὶ πεζομαχία ἐγένετο
· νικήσαντες γὰρ οἱ 'Αθηναῖοι τοὺς
Συρακουσίους (τούτοις γὰρ τοῖς ὀνόμασι
χρησάμενοι ἐναυμάχησαν) ἐπεξῆλθον ἐς
τὸ νησίδιον, καὶ προσβαλόντες τείχει τινὶ
περὶ τὸ μνημεῖον πεποιημένῳ εἷλον αὐτό·

Eine große Zahl Männer focht im Einzelkampf, aber auch viele in geschlossenen Verbänden in Land- und Seeschlacht. Denn er [Titus] setzte jenes bekannte Theater unvermutet unter Wasser und hat Pferde, Stiere und andere zahme Tiere hingeführt, die gelernt haben, im Nassen ebenso zu folgen wie auf dem Land; auch führte er Männer auf Schiffen hinein. Und diese lieferten, als ob die einen Kerkyraier, die anderen Korinthier sind, eine Seeschlacht, andere draußen im Hain des Caius und des Lucius, der Platz, den einst Augustus für denselben Zweck ausgegraben hatte. Daselbst gab es denn auch am ersten Tag ein Gladiatorenschauspiel und ein Tiergemetzel, der See vor den Kulissen mit Brettern eingedeckt und umgeben von hölzernen Tribünen; am zweiten Tage erfolgte ein Pferderennen, am dritten eine Naumachie mit 3000 Männern und hinterher Infanteriekampf. Die Athener, die Syrakusier bezwingend (diese Namen verwendeten die zu Schiff Kämpfenden), rückten gegen das Inselchen [Ortygia] vor und, eine Mauer stürmend, die um das Erinnerungsmal gebaut war, eroberten dasselbe.
(80 n. Chr.; Übersetzung R. Bockius)

[23] Cassius Dio, Römische Geschichte, epit. LXVII 8,2

τοῦτο μὲν γὰρ ἐν τῷ ἱπποδρόμῳ μάχας καὶ πεζῶν πρὸς ἀλλήλους καὶ ἱππέων αὖ συνέβαλε, τοῦτο δὲ καὶ ἐν καινῷ τινι χωρίῳ ναυμαχίαν ἐπετέλεσε·

So veranlasste er [Domitian] denn im Circus auch Kämpfe von Infanterie gegeneinander und von Berittenen andererseits, und an einem neuen Ort hat er eine Naumachie ausgerichtet.
(Übersetzung R. Bockius)

[24] Diodorus Siculus, Universalgeschichte, XX 112,4 (über das im Sturm gesunkene Flaggschiff des Pleistarchos in der makedonischen Flotte)

καὶ γὰρ ἡ κομίζουσα ναῦς ἑξήρης τὸν στρατηγὸν συνεκλύσθη καὶ τῶν ἐν αὐτῇ πλεόντων οὐκ ἐλαττόνων ἢ πεντακοσίων τρεῖς πρὸς τοῖς τριάκοντα μόνον διεσώθησαν·

Und ausgerechnet das den Befehlshabenden [Pleistarchos] aufnehmende sechsrangige Schiff war gesunken, und von den nicht weniger als 500 Seeleuten auf ihm retteten sich nur 33. (302 v. Chr.; Übersetzung R. Bockius)

[25] Dion Chrysostomos, Reden, 37,15

ἐγένετο δὲ καὶ νεῶν ἅμιλλα, καὶ Ἀργὼ ἐνίκα, καὶ μετὰ ταῦτα οὐκ ἔπλευσεν, ἀλλὰ αὐτὴν ἀνέθηκεν ὁ Ἰάσων ἐνταῦθα τῷ Ποσειδῶνι καὶ τὸ ἐπίγραμμα ἐπέγραψεν, ὃ λέγουσιν Ὀρφέως εἶναι· Ἀργὼ τὸ σκάφος εἰμί θεῷ δ' ἀνέθηκεν Ἰάσων, Ἴσθμια καὶ Νεμέοις στεψάμενον πίτυσιν·

Und es gab auch einen Wettkampf der Schiffe, und »Argo« siegte, und als das Schiff nicht mehr fuhr, stiftete es Jason dem Poseidon und gravierte die Inschrift ein, die als Werk des Orpheus gilt: »Ich bin das Boot Argo, dem Gott von Jason gestiftet, Isthmischer Sieger und mit Nemeischer Pinie bekränzt«.
(Übersetzung R. Bockius nach H. L. Crosby, The Loeb Classical Library, Nr. 376 [London, Cambridge/Mass. 1962])

[26] Herodot, Historien, 7, 44

Ἐπεὶ δ' ἐγένετο ἐν Ἀβύδῳ μέσῃ, ἠθέλησε Ξέρξης ἰδέσθαι πάντα τὸν στρατόν· καὶ προεπεποίητο γὰρ ἐπὶ κολωνοῦ ἐπίτηδες αὐτῷ ταύτῃ προεξέδρη λίθου λευκοῦ ἐποίησαν δὲ Ἀβυδηνοὶ ἐντειλαμένου πρότερον βασιλέος, ἐνθαῦτα ὡς ἵζετο, κατορῶν ἐπὶ τῆς ἠιόνος ἐθηεῖτο καὶ τὸν πεζὸν καὶ τὰς νέας, θηεύμενος δὲ ἱμέρθη τῶν νεῶν ἅμιλλαν γινομένην ἰδέσθαι· ἐπεὶ δὲ ἐγένετό τε καὶ ἐνίκων Φοίνικες Σιδώνιοι, ἥσθη τε τῇ ἁμίλλῃ καὶ τῇ στρατιῇ·

Als Xerxes ins Zentrum von Abydos kam, verlangte er seine gesamte Streitmacht zu sehen. Und das gelang, weil eigens zu diesem Zweck ein stattlicher Sitz aus weißem Stein auf dem Hügel aufgestellt worden ist, gebaut von den Einwohnern von Abydos auf des Königs Geheiß. Dort saß Xerxes und schaute hinab zur Küste, wo er sein Landheer und seine Flotte erblickte, und als er sie wahrnahm, war er angetan, ein Rennen der Schiffe zu sehen. So das geschah und die Phöniker aus Sidon den Wettkampf gewannen, war er entzückt von der Regatta und von den Truppen.
(480 v. Chr.; Übersetzung R. Bockius nach A. D. Godley, The Loeb Classical Library, Nr. 119 [London, Cambridge/Mass. 1971])

[27] Historia Augusta, Heliogabalus 23,1

fertur in euripis vino plenis navales circenses exhibuisse ...

Es heißt, dass er auf mit Wein gefüllten Kanälen Schiffsspiele gezeigt hat ...
(Übersetzung R. Bockius)

[28] Homer, Ilias 16,168-170

Πεντήκοντ' ἦσαν νῆες θοαί ἦσιν Ἀχιλλεὺς / ἐς Τροίην ἡγεῖτο διΐφιλος · ἐν δὲ ἑκάστῃ / πεντήκοντ' ἔσαν ἄνδρες ἐπὶ κληῗσιν ἑταῖροι·

50 schnelle Schiffe waren es, die Achill, gottgleich nach Troja führte, und in jedem der Schiffe waren 50 Männer an den Dollen, seine Gefährten.
(Übersetzung R. Bockius)

[29] Homer, Odyssee 8,246-247 (Alkinoos über die Phaiaken)

οὐ γὰρ πυγμάχοι εἰμὲν ἀμύμονες οὐδὲ παλαιταί / ἀλλὰ ποσὶ κραιπνῶς θέομεν καὶ νηυσὶν ἄριστοι /

Nicht untadliche Meister im Faustkampf oder im Ringen/ Sind wir behend mit den Füßen im Lauf und zu Schiffe die Besten/
(Übersetzung nach J. J. C. Donner, Homer's Odyssee [Stuttgart 1865])

[30] Horatius, epistulae I 18,60 (an Lollius)

partitur lintres exercitus, Actia pugna
te duce per pueros hostili more refertur;
aduersarius est frater, lacus Hadria, donec
alterutrum uelox Victoria fronde coronet.

Sieh, da theilt sich in Kähne das Kriegsheer; Actiums Seeschlacht / Wird nach deinem Befehl von feindlichen Knaben gebildet; / Gegner ist dein Bruder, das Weiherchen [die] Adria; bis nun/ Einen von euch mit dem Laube die rasche Victoria krönet.
(ab 20 v. Chr.; Übersetzung nach J. H. Voß, Sämmtliche Uebersetzungen der klassischen Dichter der Römer. Zweiter Theil. Zweiter Band. Satyren und Episteln, Auf dem Vorgebirg der guten Hoffnung [Cöln 1806] 184)

[31] Isokrates, orationes VIII 48

καὶ τότε μὲν εἰ τριήρεις πληροῖεν, τοὺς μὲν ξένους καὶ τοὺς δούλους ναύτας εἰσεβίβαζον, τοὺς δὲ πολίτας μεθ᾽ὅπλων ἐξέπεμπον · νῦν δὲ τοῖς μὲν ξένοις ὁπλίταις χρώμεθα, τοὺς δὲ πολίτας ἐλαύνειν ἀνακάζομεν, ὥσθ᾽ ὁπόταν ἀποβαίνωσιν εἰς τὴν τῶν πολεμίων, οἱ μὲν ἄρχειν τῶν Ἑλλήνων ἀνιοῦντες ὑπηρέσιον ἔχοτες ἐκβαίνουσιν, οἱ δὲ τοιοῦτοι τὰς φύσεις ὄντες οἵους ὀλιγῳ πρότερον διῆλθον, μεθ᾽ ὅπλων κινδυνεύουσιν ·

Wenn sie [die Athener] in jenen Tagen ihre Triëren bemannten, setzten sie Mannschaften aus Fremden und Unfreien an Bord, aber schickten Bürger mit schweren Waffen in den Kampf. Heute verwenden wir Söldner als schwerbewaffnete Truppen, zwingen jedoch Bürger die Schiffe zu rudern mit dem Ergebnis, dass diese Männer, die das Recht beanspruchen, über die Hellenen zu herrschen, wenn sie auf feindlichem Gebiet landen, mit ihren Kissen unter den Armen aussteigen, wohingegen Leute der gerade von mir beschriebenen Art mit Schild und Speer im Feld erscheinen!
(Übersetzung R. Bockius nach G. Norlin, The Loeb Classical Library, Nr. 229 [London, Cambridge/Mass. 1968])

[32] Isokrates, Euagoras (IX) 1,1

Ὁρῶν, ὦ Νικόκλεις, τιμῶντά σε τὸν τάφον τοῦ πατρὸς οὐ μόνον τῷ πλήθει καὶ τῷ κάλλει τῶν ἐπιφερομένων, ἀλλὰ καὶ χοροῖς καὶ μουσικῇ καὶ γυμνικοῖς ἀγῶσιν ἔτι δὲ πρὸς τούτοις ἵππων τε καὶ τριήρων ἁμίλλαις ...

Als ich dich sah, Nikokles, wie du deines Vaters Grab ehrtest, nicht nur durch die Fülle und Schönheit der Gaben, sondern auch mit Chortänzen, Musik und athletischen Agonen, und überdies mit Pferderennen und Wettkämpfen der Triëren ...
(um 374/373 v. Chr.; Übersetzung R. Bockius nach B. Perrin, The Loeb Classical Library, Nr. 47 [London, Cambridge/Mass. 1968])

[33] Livius, ab urbe condita XXXV 26,2

Harum novarum tum navium agilitatem ut experiretur, simul ut omnia satis apta ad certamen essent, provectos in altum cotidie remigem militemque simulacris navalis pugnae exercebat.

Um die Schnelligkeit dieser neuen Schiffe [tres tectas naves/drei gedeckte Schiffe] zu testen, zugleich damit alles bereit sei für das Gefecht, trainierte er [König Nabis von Sparta] Ruderer und Soldat täglich auf See durch Manöver.
(192 v. Chr.; Übersetzung R. Bockius)

[34] Livius, ab urbe condita XXVI 51,6-7

Remigium classicique milites tranquillo in altum evecti, agilitatem navium simulacris navalis pugnae experiebantur. Haec extra urbem terra marique corpora simul animosque ad bellum acuebant.

Bei ruhiger See in offene Gewässer hinausgefahren, erprobten Ruderer und Seesoldaten die Schnelligkeit der [römischen] Schiffe bei Manövern. Diese Übungen, außerhalb der Stadt [Carthago Nova] zu Lande und zu Wasser ausgetragen, stärkten zugleich Körper und Geist für den Krieg.
(209 v. Chr.; Übersetzung R. Bockius)

[35] Lucilius, saturae XIV 489-490

Naumachiam licet haec inquam alveolumque putare et calces; delectes te, hilo non rectius vivas.

Die Naumachie, das alles gefällt, sage ich dir, ebenso wie an das Brettspiel und die Spielsteine zu glauben; magst du dich daran erfreuen, wirst du um nicht irgendwas besser leben!
(spätes 2. Jh. v. Chr.; Übersetzung R. Bockius)

[36] Lysias, Rede, 21,5

νενίκηκα δὲ τριήρει μὲν ἁμιλλώμενος ἐπὶ Σουνίῳ, ἀναλώσας πεντεκαίδεκα μνᾶς·

In den Rennen vor Sunion gewann ich [anonym] mit einer Triëre, 15 Minen [1500 Drachmen] spendend.
(Ende 5. Jh. v. Chr.; Übersetzung R. Bockius)

[37] Martialis, Liber spectaculorum 24-26

24 Si quis ades longis serus spectator ab oris,
Cui lux prima sacri muneris ista fuit,
Ne te decipiat ratibus navalis Enyo,
Et par unda fretis, hic modo terra fuit.
Non credis? specta, dum lassant aequora Martem:
Parva mora est, dices »Hic modo pontus erat«

So du später Zuschauer aus weiten Landen besuchst,
Dem der Tagesanbruch jener da des heil´gen Festspiels gewesen.
Lass' dir nicht entgehen die Navalis mit Schiffen Enyo,
Und Woge gleich den Meeresfluten, hier eben noch Land gewesen ist.
Du glaubst nicht? Schau´ hin, solange als die Meere Mars ermüden:
Zeit ist kurz, du wirst sagen »Hier war gerad´ das Meer«.

25 Quod nocturna tibi, Leandre, pepercerit unda
Desine mirari: Caesaris unda fuit.

Dass dich, Leander, die nächtliche Woge verschont hat,
Hör´ auf zu wundern: Es ist des Kaisers Gewässer gewesen!

26 Lusit Nereïdum docilis chorus aequore toto
Et vario faciles ordine pinxit aquas,
Fuscina dente minax recto fuit, ancora curvo:
Credidimus remum credidimusque ratem,
Et gratum nautis sidus fulgere Laconum
Lataque perspicuo vela tumere sinu.
Quis tantas liquidis artes invenit in undis?
Aut docuit lusus hos Thetis aut didicit.

Es spielte die gelehrige Schar der Nereïden über die ganze Wasserfläche
Und in wechselnder Folge schmückte das Meer.
Drohend war der Dreizack mit gerader Spitze, der Anker krumm:
Glaubten wir an den Riemen und glaubten wir an das Boot,
Und dass liebliches Gestirn leuchtet den Schiffern Spartas
Und dass breite Segel blähen mit durchsichtigem Bausche.
Wer hat soviel Geschick in fließenden Wogen ersonnen?
Thetis lehrte entweder diese Spiele oder sie hat sie erlernt.
(80/81 n. Chr.; Übersetzungen R. Bockius)

[38] Pausanias, Beschreibung Griechenlands, II 35,1

πλησίον δὲ αὐτοῦ Διονύσου ναὸς Μελαναίγιδος · τούτῳ μουσικῆς ἀγωνα κατὰ ἔτος ἕκαστον ἄγουσι, καὶ ἁμίλλης κολύμβου πλοίων τιθέασιν ἆθλα ·

Nahe von diesem [Ort, d. h. Hermion an der Südküste der Argolis] befindet sich ein Tempel des Dionysos Melanaigidos. Ihm zu Ehren veranstalten sie jedes Jahr musische Agone, und sie stiften Preise für Wettkämpfe im Schwimmen und mit Booten.
(Mitte 2. Jh.; Übersetzung R. Bockius nach W. H. S. Jones, The Loeb Classical Library, Nr. 93 [London, Cambridge/Mass. 1969])

[39] Plinius maior, naturalis historia VII 56,207-208 (über die Einführung neuer Riemensysteme antiker Kriegsschiffe)

Longa nave Iasonem primum navigasse Philostephanus auctor est, Hegesias Parhalum, Ctesias Samiramin, Archemachus Aegaeonem, biremem Damastes Erythraeos fecisse, triremem Thucydides Aminoclen Corinthium, quadriremem Aristoteles Carthaginiensis, quinqueremem Mnesigiton Salaminios, sex ordinum Xenagoras Syracusios, ab ea ad duodecim ordines Philostephanus Ptolomaeum Soterem, ad quindecim [ordines] Demetrium Antigoni, ad triginta [ordines] Ptolomaeum Philadelphum, ad XL [ordines] Ptolomaeum Philopatorem qui Tryphon cognominatus est.

Das erste Kriegsschiff gefahren zu haben, schreibt Philostephanos dem Jason zu, Hegesias dem Parhalos, Ktesias der Semiramis und Archaemachos dem Aigeus; Damastes sagt, dass die Erythraier die Bireme gemacht haben, Thukydides, dass Aminokles von Korinth die Trireme, Aristoteles, dass die Karthager die Quadrireme, Mnesigiton, dass die Salaminier die Quinquereme, Xenagoras, dass die Syrakusier das sechsrangige Schiff entwickelt haben; von da bis zum zehnrangigen Schiff bezeugt Mnesigiton Alexander den Großen als Auftraggeber; bis zum 12er waren laut Philostephanos Ptolemaios [I.] Soter, bis zum 15er der Antigonide Demetrios, bis zum 30er Ptolemaios Philadelphos die Auftraggeber; bis zum 40er Ptolemaios Philopator [IV.], der den Beinamen Tryphon führt.
(Übersetzung R. Bockius)

[40] Plinius maior, naturalis historia XXXII 1,4 (über die Ursache einer Fahrtminderung durch maritime Anhaftung)

... cum e tota classe quinqueremis sola non proficeret, exilientibus protinus qui quaererent circa navem. Invenere adhaerentem [pisciculum] gubernaculo ostenderuntque Caio indignanti hoc fuisse quod se revocaret quadringentorumque remigum obsequio contra se intercederet.

Da aus dem gesamten Geschwader allein der 5er nicht vorwärts kam, ging man dem mit Hinausspringenden, die um das Schiff herum nachforschen sollten, unverzüglich auf den Grund. Als sie ein am Steuerruder anhaftendes Fischlein entdeckt haben und es Gaius [Caligula] zeigten, wurde er unwillig, dass es das gewesen ist, was ihn aufhielt und was zwischen den ihm entgegengebrachten Gehorsam von 400 Ruderern trat.
(Übersetzung R. Bockius)

[41] Plinius minor, epistulae IX 33,3

Omnis hic aetas piscandi navigandi atque etiam natandi studio tenetur maxime pueri quos otium lususque sollicitat.

Jedes Alter übt sich hier [in der römischen Colonia Hippo Diarrhytus] mit Eifer im Angeln, Bootfahren und auch im Schwimmen, am meisten die Jungen, die Müßiggang und Zeitvertreib ermuntern.
(Übersetzung R. Bockius)

[42] Plutarch, Themistokles, 4,3

... ὡς ἄρα Θεμιστοκλῆς τὸ δόρυ καὶ τὴν ἀσπίδα τῶν πολιτῶν παρελόμενος εἰς ὑπηρέσιον καὶ κώπην συνέστειλε τὸν Ἀθηναίων δῆμον·

Themistokles beraubte seine Mitbürger des Speers und des Schildes und degradierte das Volk der Athener zum Kissen und zum Riemen.
(Übersetzung R. Bockius nach B. Perrin, The Loeb Classical Library, Nr. 47 [London, Cambridge/Mass. 1968])

[43] Plutarch, Themistokles, 32,5

οἴεται δε καὶ Πλάτωνα τὸν κωμικὸν αὐτῷ μαρτυρεῖν ἐν τούτοις · Ὁ σὸς δὲ τύμβος ἐν καλῷ κεχωσμένος / τοῖς ἐμπόροις πρόσρησις ἔσται πανταχοῦ / τους τ᾽ ἐπλέοντας εἰσπλέοντας τ᾽ ὄψεται / χὠπόταν ἅμιλλα τῶν νεῶν θεάσεται ·

Und er [Diodoros Perihegetos; um 300 v. Chr.] nimmt den Komödiendichter Platon zum Beweis, wenn er sagt »Das Grab [des Themistokles] ist errichtet an ansehnlichem Ort; mag ihm allenthalben Begrüßung sein von den Händlern, mag es diese außerhalb erblicken, jene beim Betreten, schauen auf den eifernden Wettkampf der Schiffe«.
(Übersetzung R. Bockius nach B. Perrin, The Loeb Classical Library, Nr. 47 [London, Cambridge/Mass. 1968])

[44] Polybios, Historien, I 25,7-8 (über römische Quinqueremen am Beginn des 2. Punischen Krieges)

καὶ τὸ μὲν σύμπαν ἦν στράτευμα τούτων τῆς ναυτικῆς δυνάμεως περὶ τέτταρας καὶ δέκα μυριάδας, ὡς ἂν ἑκάστης νεὼς λαμβανούσης ἐρέτας μὲν τριακοσίους, ἐπιβάτας δ᾽ ἑκατὸν εἴκοσιν ·

Und die ganze Truppe der Seestreitmacht waren 140 000 Mann, jedes der Schiffe 300 Ruderer aufnehmend, Seesoldaten 120.
(Übersetzung R. Bockius)

[45] Seneca minor, epistulae morales ad Lucilium 70,26

Secundo naumachiae spectaculo unus e barbaris lanceam, quam in adversarios acceperat, totam iugulo suo mersit. »Quare, quare«, inquit, »non omne tormentum, omne ludibrium iamdudum effugio? Quare ego mortem armatus expecto?«

Im zweiten Aufzug einer Naumachie hat einer unter den Barbaren eine Lanze, die er für die Gegner empfangen hatte, ganz in seine Kehle gesenkt. »Warum, warum«, sagte er, »entkomme ich nicht schon lange der ganzen Qual, dem ganzen Spott? Warum warte ich bewaffnet auf den Tod?«.
(Übersetzung R. Bockius)

[46] Silius Italicus, Punica XIV 385-388

... qua nulla per omne/ egressa est Libycis maior navalibus aevum./ sed quarter haec centum numeroso remige pontum/ pulsabat tonsis ...

... kein größeres Schiff ist jemals von den nordafrikanischen Werften gekommen. Denn es peitschte das Meer in rhytmischem Ruderschlag mit 400 Riemen.
(Übersetzung R. Bockius)

[47] Strabon, Geographika VII 7,6 (Teubner-Ausgabe hrsg. von A. Meineke, Geographica [Leipzig 1877])

ἐφεξῆς δὲ τὸ στόμα τοῦ Ἀμβρακικοῦ κόλπου: τούτου δὲ τοῦ κόλπου τὸ μὲν στόμα μικρῷ τοῦ τετρασταδίου μεῖζον, ὁ δὲ κύκλος καὶ τριακοσίων σταδίων, εὐλίμενος δὲ πᾶς · οἰκοῦσι δὲ τὰ μὲν ἐν δεξιᾷ εἰσπλέουσι τῶν Ἑλλήνων Ἀκαρνᾶνες: καὶ ἱερὸν τοῦ Ἀκτίου Ἀπόλλωνος ἐνταῦθά ἐστι πλησίον τοῦ στόματος, λόφος τις ἐφ᾽ ᾧ ὁ νεώς, καὶ ὑπ᾽ αὐτῷ πεδίον ἄλσος ἔχον καὶ νεώρια, ἐν οἷς ἀνέθηκε Καῖσαρ τὴν δεκαναΐαν ἀκροθίνιον, ἀπὸ μονοκρότου μέχρι δεκήρους: ὑπὸ πυρὸς δ᾽ ἠφανίσθαι καὶ οἱ νεώσοικοι λέγονται καὶ τὰ πλοῖα: ἐν ἀριστερᾷ δὲ ἡ Νικόπολις καὶ τῶν Ἠπειρωτῶν οἱ Κασσωπαῖοι μέχρι τοῦ μυχοῦ τοῦ κατὰ Ἀμβρακίαν: ὑπέρκειται δὲ αὕτη τοῦ μυχοῦ μικρόν, Γόργου τοῦ Κυψέλου κτίσμα: παραρρεῖ δ᾽ αὐτὴν ὁ Ἄρατθος ποταμὸς ἀνάπλουν ἔχων ἐκ θαλάττης εἰς αὐτὴν ὀλίγων σταδίων, ἀρχόμενος ἐκ Τύμφης ὄρους καὶ τῆς Παρωραίας · ηὐτύχει μὲν οὖν καὶ πρότερον ἡ πόλις αὕτη διαφερόντως (τὴν γοῦν ἐπωνυμίαν ἐντεῦθεν ἔσχηκεν ὁ κόλπος), μάλιστα δ᾽ ἐκόσμησεν

Dann kommt die Mündung des Golfes von Ambrakia: Der Eingang dieser Bucht kaum mehr als 4 Stadien breit, beträgt ihr Umfang ganze 300 Stadien, überall gute Häfen. Jener Teil des Landes, der rechts liegt, wenn man hinein segelt, wird von den griechischen Akarnaniern bewohnt: Hier liegt auch, nahe der Einfahrt, der heilige Bezirk des Aktischen Apollo – ein Hügel, auf dem der Tempel steht, und am Fuß des Hügels liegt eine Ebene mit einem heiligen Hain und einer Flottenstation, die Flottenstation, wo Caesar [Augustus] als erste Früchte seines Sieges das Geschwader von zehn Schiffen weihte – Fahrzeuge mit ein bis zehn Rudererrängen: Es heißt, dass nicht nur die Schiffe, sondern auch die Schiffshangars mit Feuer ausgelöscht worden sind. Links von der Einfahrt liegen Nikopolis und das Land der Epirotischen Kassopaier, das bis zur Ausbuchtung des Golfes nahe Ambrakia reicht. Ambrakia liegt nur eine kurze Wegstrecke oberhalb der Ausbuchtung. Die Stadt wurde von Gorgos gegründet, dem Sohn des Kypselo: Der Aratthos-Fluss fließt an Ambrakia vorbei, fluss-

αὐτὴν Πύρρος βασιλείῳ χρησάμενος τῷ τόπῳ: Μακεδόνες δ᾽ ὕστερον καὶ Ῥωμαῖοι καὶ ταύτην καὶ τὰς ἄλλας κατεπόνησαν τοῖς συνεχέσι πολέμοις διὰ τὴν ἀπείθειαν, ὥστε τὸ τελευταῖον ὁ Σεβαστὸς ὁρῶν ἐκλελειμμένας τελέως τὰς πόλεις εἰς μίαν συνῴκισε τὴν ὑπ᾽ αὐτοῦ κληθεῖσαν Νικόπολιν ἐν τῷ κόλπῳ τούτῳ, ἐκάλεσε δ᾽ ἐπώνυμον τῆς νίκης, ἐν ᾗ κατεναυμάχησεν Ἀντώνιον πρὸ τοῦ στόματος τοῦ κόλπου καὶ τὴν Αἰγυπτίων βασίλισσαν Κλεοπάτραν παροῦσαν ἐν τῷ ἀγῶνι καὶ αὐτήν · ἡ μὲν οὖν Νικόπολις εὐανδρεῖ καὶ λαμβάνει καθ᾽ ἡμέραν ἐπίδοσιν, χώραν τε ἔχουσα πολλὴν καὶ τὸν ἐκ τῶν λαφύρων κόσμον, τό τε κατασκευασθὲν τέμενος ἐν τῷ προαστείῳ τὸ μὲν εἰς τὸν ἀγῶνα τὸν πεντετηρικὸν ἐν ἄλσει ἔχοντι γυμνάσιόν τε καὶ στάδιον, τὸ δ᾽ ἐν τῷ ὑπερκειμένῳ τοῦ ἄλσους ἱερῷ λόφῳ τοῦ Ἀπόλλωνος · ἀποδέδεικται δ᾽ ὁ ἀγὼν Ὀλύμπιος, τὰ Ἄκτια, ἱερὸς τοῦ Ἀκτίου Ἀπόλλωνος, τὴν δ᾽ ἐπιμέλειαν ἔχουσιν αὐτοῦ Λακεδαιμόνιοι. αἱ δ᾽ ἄλλαι κατοικίαι περιπόλιοι τῆς Νικοπόλεώς εἰσιν · ἤγετο δὲ καὶ πρότερον τὰ Ἄκτια τῷ θεῷ, στεφανίτης ἀγών, ὑπὸ τῶν περιοίκων: νυνὶ δ᾽ ἐντιμότερον ἐποίησεν ὁ Καῖσαρ ·

auf nur wenige Stadien schiffbar, vom Meer bis Ambrakia, im Tymphe-Gebirge und der Paroraia entspringend. Nun erfreute sich diese Stadt eines außerordentlichen Wohlstandes in älteren Zeiten (wenigstens wurde der Golf nach ihr benannt), und sie wurde am meisten von allen durch Pyrrhos geschmückt, der den Ort zu seiner Residenz machte. In späterer Zeit indes schwächten die Makedonen und Römer durch ihren fortwährenden Krieg sowohl diese wie auch die anderen epirotischen Städte wegen ihres Ungehorsams so umfassend, dass schließlich Augustus, sehend dass die Städte gänzlich versagt haben, die übrig gebliebenen Einwohner in einer Stadt zusammen siedelte – die Stadt an diesem Golf, die von ihm Nikopolis genannt wurde; und er nannte sie so nach seinem Sieg in der Seeschlacht vor dem Eingang zum Golf über Antonius und Kleopatra, der Königin der Ägypter, die auch am Kampf beteiligt war. Nikopolis ist bevölkert, und seine Einwohnerzahl steigt täglich, weil sie nicht nur ein beträchtlich großes Territorium und den Schmuck aus der Beute der Schlacht besitzt, sondern in ihrer Vorstadt auch den vollendet ausgestatteten heiligen Bezirk – ein Teil davon im heiligen Hain mit einem Gymnasion und einem Stadion zur Veranstaltung der Vierjahresspiele, der andere Teil auf dem Hügel, der Apollo geweiht ist und oberhalb des Haines liegt. Diese Spiele – die dem Aktischen Apoll gewidmeten Aktia – sind als Olympisch bestimmt, und sie werden von den Lakedaimoniern beaufsichtigt. Die anderen Siedlungen sind Grenzbezirke von Nikopolis. Schon in alter Zeit wurden die Aktischen Spiele von den Einwohnern der Umgebung zu Ehren des Gottes veranstaltet – Spiele, in denen ein Kranz Preis war – aber heute wurde ihnen vom Kaiser höheres Ansehen verschafft. (Übersetzung R. Bockius nach H. L. Jones/J. R. Sitlington Sterrett, The Loeb Classical Library, Nr. 267 [London, Cambridge/Mass. 1967)]

[48] Suetonius, divus Iulius 39,1.4

1 Edidit spectacula varii generis: munus gladiatorium, ludos etiam regionatim urbe tota et quidem per omnium linguarum histriones, item circenses athletas naumachiam.

Er [Caesar] hat Schauspiele verschiedener Art ausgerichtet: einen Gladiatorenkampf, Spiele in allen Stadtbezirken [Roms] und auch mit Akteuren aller Sprachen, athletische Aufführungen im Circus ebenso wie eine Naumachie.

4 Navali proelio in minore Codeta defosso lacu biremes ac triremes quadriremesque Tyriae et Aegyptiae classis magno pugnatorum numero conflixerunt.

Nachdem er auf der Codeta [Platz auf dem Marsfeld] für das Schiffsgefecht einen See ausgehoben hatte, sind Biremen, Triremen und Quadriremen tyrischer und ägyptischer Geschwader mit einer großen Zahl Kombattanten aufeinandergestoßen. (Übersetzungen R. Bockius)

[49] Suetonius, divus Augustus 43,1

... item navale proelium circa Tiberim cavato solo, in quo nunc Caesarum nemus est...

Auch veranstaltete er [Augustus] ein Seegefecht auf ausgehobenem Grund in der Nähe vom Tiber, wo jetzt der Hain der Caesaren ist.
(Übersetzung R. Bockius)

(50) Suetonius, divus Tiberius 72,1

Bis omnino toto secessus tempore Romam redire conatus, semel triremi usque ad proximos naumachiae hortos subvectus est disposita statione per ripas Tiberis ...

Nur zweimal in der ganzen Zeit der Abgeschiedenheit versuchte er [Tiberius] nach Rom zurückzukehren; einmal ist er mit einer Trireme stromauf bis zu den Gärten bei der Naumachie hinaufgefahren worden, nachdem Wachtposten entlang dem Tiber verteilt worden waren.
(Übersetzung R. Bockius)

[51] Suetonius, Caligula 37,2

Fabricavit et deceris Liburnicas gemmatis puppibus, versicoloribus velis, magna thermarum et porticuum et tricliniorum laxitate magnaque etiam vitium et pomiferarum arborum varietate; quibus discumbens de die inter choros ac symphonias litora Campaniae peragraret...

Auch hat er [Caligula] zehnrangige Kriegsschiffe gebaut, die Hecks mit Gemmen verziert, mit bunten Segeln, großräumigen Thermen, Säulenhallen und Triclinia, und auch mit einer großen Fülle an Weinreben und Obstbäumen; sich auf ihnen zu Tisch legend, durchstreifte er den lieben langen Tag mitten unter Chören und Liedern die Küsten Campaniens.
(Übersetzung R. Bockius)

[52] Suetonius, divus Claudius 21,6

... quin et emissurus Fucinum lacum naumachiam ante commisit. Sed cum proclamantibus naumachiariis »Have imperator, morituri te salutant!« respondisset »aut non«, neque post hanc vocem quasi venia data quisquam dimicare vellet, diu cunctatus an omnes igni ferroque absumeret, tandem e sede sua prosiluit ac per ambitum lacus non sine foeda vacillatione discurrens partim minando partim adhortando ad pugnam compulit. Hoc spectaculo classis Sicula et Rhodia concurrerunt, duodenarum triremium singulae, exciente bucina Tritone argenteo, qui e medio lacu per machinam emerserat.

Ja sogar als er [Claudius] im Begriff war, den Fucinus-See trockenzulegen, beging er zuvor eine Naumachie. Als aber die Streiter riefen »Heil Kaiser, die dem Tod Geweihten grüßen Dich«, erwiderte er »oder nicht«. Und als jemand nach dieser Antwort, gleichsam als sei Schonung gewährt, nicht kämpfen wollte, zögerte er eine Weile, ob er sie alle mit Feuer und Schwert vernichte. Endlich sprang er von seinem Stuhl, und am Seeufer hin und her laufend nicht ohne abstoßendes Torkeln, brachte er sie, teils durch Drohen, teils durch Anspornen zum Kampf. Ein sizilisches und ein rhodisches Geschwader sind bei diesem Spektakel zusammengetroffen, jedes mit zwölf Triremen, mit dem Horn von einem silbernen Triton aufgescheucht, der mittels einer Maschine aus der Mitte des Sees getaucht war.
(52 n. Chr.; Übersetzung R. Bockius)

[53] Suetonius, Nero 12,1

... exhibuit et naumachiam marina aqua innantibus beluis ...

Auch zeigte er [Nero] eine Naumachie, das Meerwasser mit darin schwimmendem Seegetier. (Übersetzung R. Bockius)

[54] Suetonius, divus Titus 7,2

... dedit et navale proelium in veteri naumachia ...

Auch gab er [Titus] einen Schiffskampf in der alten Naumachie. (Übersetzung R. Bockius)

[55] Suetonius, Domitianus 4,1-2

1 Spectacula assidue magnifica et sumptuosa edidit non in amphitheatro modo, verum et in Circo... at in amphitheatro navale quoque...

2 ... Edidit navalis pugnas paene iustarum classium, effosso et circumstructo iuxta Tiberim lacu, atque inter maximos imbres perspectavit.

Er [Domitian] veranstaltete fortwährend großartige und verschwenderische Schauspiele nicht nur im Amphitheater, sondern auch im Circus [...]; und im Amphitheater gab er auch einen Schiffskampf.

Schiffskämpfe veranstaltete er [Domitian] schier zwischen regelrechten Flotten, nachdem er den See nahe beim Tiber ausgegraben und [mit Tribünen] umbaut hatte; und er sah sie sich sogar ganz an während der schwersten Regengüsse. (Übersetzungen R. Bockius)

[56] Tacitus, annales XII 56,1-3

1 Sub idem tempus inter lacum Fucinum amnemque Lirim perrupto monte, quo magnificentia operis a pluribus viseretur, lacu in ipse navale proelium adornatur, ut quondam Augustus structo circa Tiberim stagno, sed levibus navigiis et minore copia ediderat. 2 Claudius triremes quadriremesque et undeviginti hominum milia armavit, cincto ratibus ambitu, ne vaga effugia forent, ac tamen spatium amplexus ad vim remigii, gubernantium artes, impetus navium et proelio solita. in ratibus praetoriarum cohortium manipuli turmaeque adstiterant, antepositis propugnaculis, ex quis catapultae ballistaeque tenderentur. reliqua lacus classiarii tectis navibus obtinebant. 3 ripas et colles, montium edita in modum theatre multitude innumera complevit, proximis e municipiis et alii urbe ex ipsa, visendi cupidine aut officio in principem. ipse insigni paludamento neque procul Agrippina chlamyde aurata praesedere. pugnatum quamquam inter sontes fortium virorum animo, ac post multum vulnerum occidioni exempti sunt.

1 Um dieselbe Zeit, nach der Fertigstellung des Kanaldurchbruchs durch den Berg zwischen dem Fuciner See und dem Lirisfluß, veranstaltete man, damit die Großartigkeit des Werkes von recht vielen betrachtet werden könne, auf dem See selbst einen Schiffskampf, wie ihn einst Augustus auf dem in der Nähe des Tiber ausgehobenen Teich, allerdings mit leichten Fahrzeugen und geringerer Mannschaft, hatte aufführen lassen. 2 Claudius ließ Drei- und Vierruderer mit 19000 Mann Besatzung ausrüsten und den Saum des Sees ringsum mit Flößen einfassen, damit nach keiner Seite ein Entkommen möglich war; und trotzdem blieb noch Raum für einen machtvollen Einsatz der Ruderer, für der Steuerleute Geschicklichkeit, für Angriffe der Schiffe und die bei einem Gefecht üblichen Manöver. Auf den Flößen hatten Manipel und Schwadronen der Prätorianerkohorten Aufstellung genommen, und davor waren Brustwehren aufgerichtet, damit von ihnen aus Katapulte und Ballisten ihr Ziel finden könnten. Den übrigen Teil des Sees nahmen die Flottenmannschaften auf gedeckten Schiffen ein. 3 Die Ufer und Hügel, ja die Bergeshöhen füllte wie im Theater eine unzähl-

bare Menge, die teils aus den benachbarten Landstädten und teils aus der Stadt [Rom] selbst aus Schaulust oder Höflichkeit gegenüber dem Princeps hergekommen war. Er selbst in einem auffallenden Feldherrnmantel und gleich neben ihm Agrippina in golddurchwirktem Umhang führten den Vorsitz. Gekämpft wurde, wenngleich unter Verbrechern, mit dem Mut tapferer Männer, und nach vielen Verwundungen entzog man die übrigen der völligen Vernichtung. (52 n. Chr.; nach E. Heller, P. Cornelius Tacitus, Annalen: lateinisch und deutsch [München [2]1992])

[57] Thukydides, Peloponnesischer Krieg, II 93,2

ἐδόκει δὲ λαβόντα τῶν ναυτῶν ἕκαστον τὴν κοπην καὶ τὸ ὑπηρέσιον καὶ τὸν τροπωτῆρα πεζῇ ἰέναι ἐκ Κορίνθου ἐπὶ τὴν πρὸς 'Αθήνας θάλασσαν ...

Man bestimmte, dass jeder der Seeleute, den Riemen, das Kissen und den Riemenstropp aufnehmend, von Korinth zum Meer vor Athen läuft ...
(430 v. Chr.; Übersetzung R. Bockius)

[58] Thukydides, Peloponnesischer Krieg, VI 32,1-2

Ἐπειδὴ δὲ αἱ νῆες πλήρεις ἦσαν καὶ ἐσέκειτο πάντα ἤδη ὅσα ἔχοντες ἔμελλον ἀνάξεσται, τῇ μὲν σάλπιγγι σιωπὴ ὑπεσημάνθη, εὐχὰς δὲ τὰς νομιζομένας πρὸ τῆς ἀναγωγῆς οὐ κατὰ ναῦν ἑκάστην, ξύμπαντες δὲ ὑπὸ κήρυκος ἐποιοῦντο, κρατῆράς τε κεράσαντες παρ' ἅπαν τὸ σράτευμα καὶ ἐκπώμασι χρυσοῖς τε καὶ ἀργυροῖς οἵ τε ἐπιβάται καὶ οἱ ἄρχοντες σπένδοντες · ξυνεπηύχοντο δὲ καὶ ὁ ἄλλος ὅμιλος ὁ ἐκ τῆς γῆς τῶν τε πολιτῶν καὶ εἴ τις ἄλλος εὔνους παρῆν σφίσιν · παιανίσαντες δὲ καὶ τελεώσανες τὰς σπονδὰς ἀνήγοντο καὶ ἐπὶ κέρως τὸ πρῶτον ἐκπλεύσαντς ἅμιλλαν ἤδη μέχρι Αἰγίνης ἐποιοῦντο ·

Nachdem die Schiffe bemannt worden waren und zuletzt alles an Bord gebracht wurde, was sie zur Reise mitnehmen mussten, gebot der Hornist Ruhe, und sie sprachen Gebete, wie üblich vor dem Auslaufen, nicht Schiff für Schiff, sondern alle zusammen, angestimmt von einem Herold, die Krieger ebenso wie die Führer, Trankopfer spendend aus goldenen und silbernen Gefäßen, mit gemischtem Wein. Und die übrige Schar der Leute an Land, die Bürger ebenso wie alle anderen, die den Athenern eine gute Fahrt wünschten, stimmten gleichermaßen in die Gebete ein. Und als sie das Loblied gesungen hatten und die Opfer beschlossen, legten sie ab, ruderten zunächst in Kiellinie, um dann im Wettrennen bis nach Aigina zu fahren. (415 v. Chr.; Übersetzung R. Bockius nach C. F. Smith, The Loeb Classical Library, Nr. 110 [London, Cambridge/Mass. 1966])

[59] Velleius Paterculus, historiae Romanae II 100,2

At in urbe eo ipso anno quo magnisficentissimis gladiatorii muneris naumachiaeque spectaculis divus Augustus abhinc annos triginta se et Gallo Caninio consulibus dedicato Martis templo animos oculosque populi Romani repleverat ...

Aber in der Stadt [Rom], im selben Jahr, in dem der göttliche Augustus – vor 30 Jahren zusammen mit Gallus Caninius Konsul – die Herzen und Augen des römischen Volkes mit den großartigsten Gladiatorenspielen und Spektakeln eines Seegefechts anlässlich der Einweihung des Mars-Tempels wieder erfüllt hat.
(2 v. Chr.; Übersetzung R. Bockius)

[60] Vergil, Aeneis 5,114-243

Prima pares ineunt gravibus certamina remis/ quattuor ex omni delectae classe carinae/ velocem Mnestheus agit acri remige Pristim/ mox Italus Mnestheus, genus a quo nomine Memmi,/ ingentemque Gyas ingenti mole Chimaeram,/ urbis opus, triplici pubes quam Dardana versu/ impellunt, terno consurgunt ordine remi;/ Sergestusque, domus tenet a quo Sergia nomen,/ Centauro invehitur magna, Scyllaque Cloanthus/ caerulea, genus unde tibi, Romane Cluenti./
Est procul in pelago saxum spumantia contra/ litora, quod tumidis submersum tunditur olim/ fluctibus, hiberni condunt ubi sidera Cori;/ trangquillo silet immotaque attolitur unda/ campus et apricis statio gratissima mergis./ hic viridem Aeneas frondenti es ilice metam/ constituit signum nautis pater, unde reverti/ scirent et longos ubi circumflectere cursus./ tum loca sorte legunt, ipsique in puppibus auro/ ductores longe effulgent ostroque decori;/ cetera populea velatur fronde iuventus/ nudatosque umeros oleo perfusa nitescit./ considunt transtris, intentaque brachia remis;/ intenti exspectant signum, exsultantiaque haurit/ corda pavor pulsans laudumque arrecta cupido./ inde ubi clara dedit sonitum tuba, finibus omnes,/ haud mora, prosiluere suis; ferit aethera clamor/ nauticus, adductis spumant freta versa lacertis./ infindunt partier sulcos, totumque dehiscit/ convolsum remis rostrisque tridentibus aequor./ non tam praecipites biiugo certamine campum/ corripuere ruuntque effusi carcere currus;/ nec sic immissis aurigae undantia lora/ concussere iugis pronique in verbera pendent./ tum plausu fremituque virum studiisque faventum/ consonat omne nemus, vocemque inclusa volutant/ litora, pulsate colles clamore resultant./ Effugit ante alios primisque elabitur undis/ turbam inter fremitumque Gyas; quem deinde Cloanthus/ consequitur, melior remis, sed pondere pinus/ tarda tenet. Post hos aequo discrimine Pristis/ Centaurusque locum tendunt superare priorem;/ et nunc Pristis habet, nunc victam praeterit ingens/ Centaurus, nunc una ambae iunctisque feruntur/ frontibus et longa sulcant vada salsa carina. /iamque propinquabant scopulo metamque tenebant,/ cum princeps medioque Gyas in gurgite victor/ rectorem navis compellat voce Menoeten:/ »quo tantum nihi dexter abis? Huc dirige gressum;/ litus ama et laeva stringat sine palmula cautes;/ altum alii teneant«. Dixit sed caeca Menoetes/ saxa timens proram pelagi detorquet ad undas./ »quo diversus abis?« iterum »pete saxa, Menoete!«/ cum clamore

Den ersten Wettkampf begehen vier Schiffe mit schweren Riemen, ausgewählt aus der ganzen Flotte. Mnestheus mit seiner eifrigen Mannschaft fährt die schnelle Pristis, wird bald Mnestheus von Italien sein, von dessen Namen die Memmii abstammen; Gyas fährt die gewaltige Chimaera, von beträchtlicher Masse, eine schwimmende Stadt, angetrieben von der dardanischen Jugend in dreifacher Reihe, mit dreifacher Riemenordnung. Sergestus, von dem das sergische Haus seinen Namen hat, fährt den großen Centaur; und in der seeblauen Scylla fährt Cloanthus, von dem das römische Geschlecht der Cluentii abstammt!
Weit ab im Meer, gegenüber der schäumenden Küste liegt eine Felseninsel, die zuweilen aufgetürmte Wellen schlagen und überrollen, wenn stürmige Nordwestwinde die Sterne verdecken; bei ruhigem Wetter ist es still, und aus den sanften Wellen ragt eine ebene Fläche empor, ein willkommener Platz für sich sonnende Möven. Hier setzte Vater Aeneas ein Zeichen als Zielpunkt aus blattreicher Eiche, um die Seeleute wissen zu lassen, von wo zurückzukehren und wo auf dem langen Kurs zu umrunden ist. Dann losten sie die Startplätze aus, und in den Schiffshecks schienen die Schiffsführer selbst aus weiter Ferne in der Pracht von Gold und Purpur; die übrige Mannschaft bekränzt mit Pappelzweiggewinden, und ihre nackten Schultern glitzern, feucht von Öl. Sie bemannen die Ruderbänke, ihre Arme zu den Riemen gestreckt, gespannt warten sie auf's Signal, während pochende Angst und begierige Sehnsucht nach Ruhm verzehren jedes schlagende Herz. Dann, als die laute Tuba ertönte, schossen alle unverzüglich los von ihren Startplätzen; das Geschrei der Ruderer schlägt zum Himmel; als die Arme anzogen, wurde das Wasser zu Schaum. Seite an Seite spalten sie die Wogen, und das Meer klafft auseinander, aufgerissen von Riemen und dreizähnigen Rammspornen. Nicht so die ungestüme Eile, wenn im Zweispännerrennen die Wagen sich des Feldes bemächtigen und losstürmen aus ihren Boxen! Nicht so wild schütteln die Wagenlenker über ihre ausschlagenden Rösser die flatternden Zügel, sich vorwärts beugend zum Peitschenhieb! Dann mit Applaus und dem Anfeuern der Männer, und begeisterte Schreie der Anhänger, der ganze Wald hallt; über die geschützte Küste rollt der Schall, und die Hügel, geschlagen, werfen das Getöse zurück.
Gyas flieht vor den anderen und gleitet als Erster auf den Wogen, inmitten Durcheinander und Tumult; alsdann folgt Cloanthus, besser mit Riemen versehen, aber die durch Schwere hemmende Pinie bremst. Nach ihm, auf gleiche Distanz, Pristis

Gyas revocabat, et ecce Cloanthum/ respicit instantem tergo et propiora tenentem./ ille inter navemque Gyas scopulosque sonantis/ radit iter laevum interior subitoque priorem/ praeterit et metis tenet aequora tuta relictis./ tum vero exarsit iuveni dolor ossibus ingens,/ nec lacrimis caruere genae, segnemque Menoeten,/ oblitus decorisque sui sociumque salutis,/ in mare praecipitem puppi deturbat ab alta;/ ipse gubernaclo rector subit, ipse magister,/ hortaturque viros clavumque ad litora torquet./ at gravis, ut fundo vix tandem redditus imo est,/ iam senior madidaque fluens in veste Menoetes /summa petit scopuli siccaque in rupe resedit./ illum et labentem Teucri et risere natantem/ et salsos rident revomentem pectore fluctus./

Hic laeta extremis spes est accensa duobus,/ Sergesto Mnestheique, Gyan superare morantem./ Sergestus capit ante locum scopuloque propinquat,/ nec tota tamen ille prior praeeunte carina; /parte prior; partem rostro permit aemula Pristis./ at media socios incedens nave per ipsos/ hortatur Mnestheus: »nunc, nunc insurgite remis,/ Hectorei socii, Troiae quos sorte suprema/ delegi comites; nunc illas promite viris, /nunc animos, quibus in Gaetulis Syrtibus usi/ Ionioque mari Maleaeque sequacibus undis./ non iam prima peto Mnestheus neque vincere certo; quamquam o – sed superent, quibus hoc, Neptune, dedisti -/ extremos pudeat rediisse; hoc vincite, cives,/ et prohibete nefas.« Olli certamine summon/ procumbunt; vastis tremit ictibus aerea puppis,/ subtrahiturque solum; tum creber anhelitus artus /aridaque ora quatit, sudor fluit undique rivis./ attulit ipse viris optatum casus honorem./ namque furens animi dum proram ad saxa suburget /interior spatioque subit Sergestus iniquo,/ infelix saxis in procurrentibus haesit./ concussae cautes, et acuto in murice remi /obnixi crepuere, inlisaque prora pependit./ consurgunt nautae et mango clamore morantur/ ferratasque trudes et acuta cuspide contos/ expedient fractosque legunt in gurgite remos./

At laetus Mnestheus successuque acrior ipso/ agmine remorum celeri ventisque vocatis/ prona petit maria et pelago decurrit aperto./ qualis spelunca subito commota Columba,/ cui domus et dulces latebroso in pumice nidi,/ fertur in arva volans plausumque exterrita pinnis/ dat tecto ingentem, mox aere lapsa quieto/ radit iter liquidum celeries neque commovet alas:/ sic Mnestheus, sic ipsa fuga secat ultima Pristis/ aequora, sic illam fert impetus ipse volantem./ et primum in scopulo luctantem deserit alto/ Sergestum brevibusque vadis frustraque vocantem/ auxilia et fractis discentem currere

und Centaur ringen um die Führung, und hat sie mal Pristis, gewinnt mal Centaur nach ihr, fahren sie Bug neben Bug, und sie pflügen das salzige Meer mit langem Kiel. Und schon näherten sie sich dem Felsen und hielten auf die Wendemarke zu, als Gyas, schon der Erste und Anführer der halben Strecke, seinem Steuermann Menoetes zubrüllt: »Wozu bringst du mich so viel nach rechts ab? Nach dahin lenke den Kurs; liebkose die Küste und lasse die Riemenblätter die Felsen zur Linken abgrasen; sollen die anderen zur See hin steuern!« Gesagt hat er es, aber Menoetes, in Furcht vor unsichtbaren Klippen, drehte den Bug weg zu den Wellen hin. »Wohin steuerst du weg? Nochmal, halt auf die Felsen zu, Menoetes!« Gyas rief ihn mit lautem Rufen zurück, und tatsächlich nimmt er Cloanthus gleich achtern und einen näheren Kurs laufend wahr. Zwischen Gyas´ Schiff und den tosenden Felsen schabt seine Fahrt näher nach Backbord, plötzlich passiert er das führende Schiff, und, die Wendemarke hinter sich lassend, erreicht er sicheres Gewässer. Dann wahrlich brannte gewaltiger Schmerz in den Knochen des jungen Mannes, und Tränen schossen ihm über die Wangen, und achtlos wegen seines eigenen Hochmuts als auch um die Sicherheit der Gefährten, stürzte er den trägen Menoetes vom hohen Achterschiff ins Meer hinab; selbst Steuermann und Schiffsführer, trat er an´s Ruder, und die Männer anfeuernd, legte er das Steuer zum Kurs auf die Küste. Menoetes aber, als er endlich unbeholfen aus der Tiefe auftauchte, schon älter und tropfend in seiner durchnässten Kleidung, strebte zur Spitze der Klippe und setzte sich nieder auf den trockenen Felsen.Die Teucrer lachten, als er stürzte und schwamm, und sie lachen, weil er das Salzwasser aus seiner Brust würgte.

Da ist eine freudige Hoffnung bei den zwei letzten, bei Sergestus und Mnestheus, entzündet worden, den zögernden Gyas zu überholen. Sergestus übernimmt die Führung und nähert sich der Klippe; noch ist jener vorne, nicht mit einer halben Schiffslänge, sondern mit weniger; die wetteifernde Pristis setzte nach, mit dem Sporn teils überlappend. Mittschiffs zwischen seinen Gefährten schreitend, schreit Mnestheus: »Jetzt, jetzt legt euch in die Riemen, Hektors Kameraden, ihr die ich in Trojas ärgstem Los als Gefolgsleute gewählt habe; nun lasst jene Kräfte heraus, nun die Triebstärke, die ihr in den Gaetulischen Syrten bewiesen habt, im Ionischen Meer und in Maleas feindlichen Gewässern! Nie mehr strebe ich, Mnestheus, nach dem ersten Platz, nie mehr eifere ich um den Sieg; doch jetzt! – Aber lass´ siegen, Neptun, wem du den Sieg zugestanden hast – beschämend wäre es, als Letzte zurückzukehren! Gewinnt das, Landsleute, verhindert remis./ inde Gyan ipsamque ingenti mole Chimaeram/ consequitur; cedit, quoniam spoliata magistro est./ Solus iamque ipso superset in fine Cloanthus; /quem petit et summis adnixus viribus urget,/ tum vero ingeminate clamor, cunctique sequentem/ instigant studiis, resonatque fragoribus aether./ hi proprium decus et partum indignantur honorem/ ni teneant, vitamque volunt pro laude pacisci:/ hos successus alit; possunt, quia posse videntur./ et fors aequatis cepissent praemia rostris,/ ni palmas ponto tendens utrasque Cloanthus/ fudissetque preces divosque in vota vocasset./ »di, quibus imperium est pelagi, quorum aequora curro,/ vobis laetus ego hoc candentem in litore taurum /constituam ante aras voti reus, extaque salsos/ porriciam in fluctus et vina liquentia fundam.«/ dixit, eumque imis sub fluctibus audit omnis/ Nereidum Phorcique chorus Panopaeque vorgo,/ et pater ipse manu magna Portunus euntem /impulit: illa Noto citius volucrique sagitta/ ad terram fugit et portu se condidit alto./

Frevel!« Bis zum Äußersten sich anstrengend, legen sich jene vorwärts; unter heftigen Riemenschlägen bebt das erzbeschlagene Heck, und der Meeresboden wird unter ihnen hinweggezogen; dann schüttelt schnelles Keuchen ihre Glieder und ausgedörrten Münder, während Schweiß überall in Strömen fließt. Bloßer Zufall brachte den Männern den ersehnten Ruhm. Denn weil Sergestus rasenden Herzens den Bug nach innen hin zum Felsen steuert und einen ungünstigen Kurs legt, läuft der Unglückliche auf vorspringende Felsen. Erschüttert wurden die Riffe, und die Riemen schlugen auf den spitzen Stein und brachen; und das aufgeschlagene Vorschiff hing herab. Auf springen die Seeleute und klagen mit großem Geschrei, und sie holen eiserne Brechstangen und Piken mit scharfer Spitze hervor und sammeln gebrochene Riemen aus dem Wasser.
Der heitere Mnestheus aber, angespornt und ermuntert von seinem besonderen Erfolg, mit schnellem Riemenschlag und unter Anruf der Winde sucht gewogene Gewässer und läuft ab in offene See. Gerade so wie eine Taube, deren Heim und süße Jungen im Geklüft versteckt, in ihrer Höhle plötzlich aufgeschreckt, wendet ihren Flug zu den Feldern und, aufgescheucht in ihrem Heim, schlägt geräuschvoll mit ihren Flügeln; bald in der friedlichen Luft gleitend, schneidet sie den nassen Weg und bewegt nicht ihre flinken Flügel: So Mnestheus, so durcheilt Pristis selbst die letzte Strecke, so trägt sie ihre bloße Schnelligkeit auf ihrem beflügelten Kurs! Und als Ersten lässt sie Sergestus zurück, der sich auf hohem Felsen und in seichtem Wasser abmüht, vergeblich um Hilfe sucht und lernt, mit gebrochenen Riemen zu fahren. Dann erreicht er Gyas, gar Chimaera mit ihrer gewaltigen Masse; sie gibt auf, beraubt um ihren Steuermann.
Und nun bleibt allein Cloanthus übrig, knapp vor dem Ziel; ihn greift er an, und setzt ihm zu mit allen Kräften. Dann wahrlich verdoppelt sich das Geschrei, und alle zusammen feuern den Verfolger mit Beifallsrufen an, der Himmel hallt wider vom Getöse. Diese halten es für schmachvoll, wenn sie nicht die erworbene Ehre festhalten, ihr alleiniger Ruhm, und sie beschließen das Leben gegen Lob tauschen: Jene nährt der Erfolg; sie sind imstande, da sie es ja zu können scheinen. Und zufällig mit den Rostren auf gleicher Höhe, hätten sie den Preis gewonnen, wenn nicht Cloanthus, beide Hände zum Meer hin streckend, Gebete ausgegossen und die Götter für seine Gelöbnisse angerufen hätte. »Götter, deren Reich das Meer ist, deren Wasser ich befahre, fröhlich will ich euch meinem Votum verpflichtet an der Küste einen schneeweißen Stier vor den Altären stiften, und will die edlen Eingeweide in die salzigen Fluten schleudern und

klaren Wein ausgießen«. So hat er gesprochen, und unter den tiefsten Wogen der ganze Chor der Nereiden und des Phorcus hörten ihn, und die Jungfrau Panopea, und selbst Vater Portunus trieb denselben mit großer Hand: Schneller als der Südwind und ein gefiederter Pfeil eilte jenes Schiff zum Land und fand Schutz im tiefen Hafen.
(Übersetzung R. Bockius nach H. R. Fairclough, The Loeb Classical Library, Nr. 63 [London, Cambridge/Mass. 1967])

[61] Vitruvius, de architectura I 12,21-24

... navibus interscalmio quae διπηχυαια dicitur item ceterorum operum e membris invenitur symmetriarum ratiocination.

... bei den Schiffen [wird] aus dem Zwischenraum zwischen zwei Ruderzapfen, den die Griechen Dipechyaia nennen, und ebenso bei den übrigen Bauwerken aus einzelnen Gliedern die Berechnung der Symmetrien gewonnen.
(nach C. Fensterbusch, Vitruv. Zehn Bücher über Architektur [Darmstadt 1964])

[62] Vitruvius, de architectura X 3,6

etiam remi circa scalmos strophis religati cum minibus inpelluntur et reducuntur.

Auch werden die an den Dollen mit Schlingen angebundenen Riemen durch die Hände [der Ruderer] angetrieben und zurückgeführt.
(Übersetzung R. Bockius)

[63] Xenophon, hellenica VI 2,27-28

Ὁ δὲ Ἰφικράτες ἐπεὶ ἤρξατο τοῦ περίπλου, ἅμα μὲν ἔπλει ἅμα δὲ πάντα ὅσα εἰς ναυμαχίαν παρεσκευάζετο · εὐθὺς μὲν γὰρ τὰ μεγάλα ἱστία αὐτοῦ κατέλιπεν, ὡς ἐπὶ ναυμαχίαν πλέων · καὶ τοῖς ἀκατείοις δέ, καὶ εἰ φορὸν πνεῦμα εἴη, ὀλίγα ἐχρῆτο · τῇ δὲ κώπῃ τὸν πλοῦν ποιούμενος ἄμεινόν τε τὰ σώματα ἔχειν τοὺς ἄνδρας καὶ ἄμεινον τὰς ναῦς πλεῖν ἐποίει · πολλάκις δὲ καὶ ὅπῃ μέλλοι ἀριστοποιεῖσθαι τὸ στράτευμα ἢ δειπνοποιεῖσθαι, ἐπανήγαγεν ἂν τὸ κέρας ἀπὸ τῆς γῆς κατὰ ταῦτα τὰ χωρία · ἐπεὶ δ' ἐπιστρέψας αὖ καὶ ἀντιπρῴρους καταστήσας τὰς τριήρεις ἀπὸ σημείου ἀφίει ἀνθαμιλλᾶσθαι εἰς τὴν γῆν, μέγα δὴ νικητήριον ἦν τὸ πρώτους καὶ ὕδωρ λαβεῖν καὶ εἴ του ἄλλου ἐδέοντο, καὶ πρώτους ἀριστῆσαι · τοῖς δ' ὑστάτοις ἀφικομένοις μεγάλη ζημία ἦν τό τε ἐλαττοῦσθαι πᾶσι τούτοις καὶ ὅτι ἀνάγεσθαι ἅμα ἔδει ἐπεὶ σημήνειε · συνέβαινε γὰρ τοῖς μὲν πρώτοις ἀφικνουμένοις καθ' ἡσυχίαν ἅπαντα ποιεῖν, τοῖς δὲ τελευταίοις διὰ σπουδῆς ·

Als Iphikrates mit der Umsegelung [der Peloponnes] begann, traf er sämtliche Vorbereitungen für ein Seegefecht. Denn er ließ gerade seine großen Segel [in Athen] zurück, weil er einen Kampf erwartete. Und selbst bei günstigem Wind nutzte er die kleinen Segel kaum. Bei der Fahrt unter Riemen trainierte er die Kondition seiner Männer und sorgte für besser laufende Schiffe. Oftmals, wenn die Truppen im Begriff waren, ihr mittägliches oder abendliches Essen an Land einzunehmen, wendete er das Geschwader in entgegengesetzte Richtung, ließ die Trieren erneut auf die Küste drehen und auf ein Signal hin eine Wettfahrt beginnen. Es galt als eine große Auszeichnung, die Ersten zu sein, die Wasser bekamen oder was immer sie brauchten, und die zuerst ihr Mahl erhielten. Indes erhielten die einen schwere Strafe, die zuletzt die Küste erreichten, indem sie auf all das verzichten mussten und zur selben Zeit wie der Rest in See gehen mussten, wenn das Signal gegeben wurde. Wer zuerst zurückkam, hatte seine Ruhe; wer später zurückkam, musste sich beeilen.
(373 v.Chr.; Übersetzung R. Bockius nach C. L. Brownson, The Loeb Classical Library, Nr. 89 [London, Cambridge/Mass. 1968])

Literatur

Abd el-Raziq/Castel/Tallet 2006: M. Abd el-Raziq / G. Castel / P. Tallet, Ayn Soukhna et la mer Rouge. Egypte, Afrique & Orient 41, 2006, 3-6.

Alertz 1995: U. Alertz, The Naval Architecture and Oar Systems of Medieval and Later Galleys. In: Gardiner 1995, 142-162.

Arnold 1992: B. Arnold, Batellerie gallo-romaine sur le lac de Neuchâtel 2. Arch. Neuchâteloise 13 (Saint-Blaise 1992).

Aßkamp/Schäfer 2008: R. Aßkamp / Ch. Schäfer (Hrsg.), Projekt Römerschiff. Nachbau und Erprobung für die Ausstellung Imperium, Konflikt, Mythos: 2000 Varusschlacht (Hamburg 2008).

Assmann 1889: E. Assmann, Seewesen. In: A. Baumeister (Hrsg.), Denkmäler des Klassischen Altertums zur Erläuterung des Lebens der Griechen und Römer in Religion, Kunst und Sitte. 3: Rechenbrett-Zwölfgötter (München, Leipzig 1889) 1593-1639.

Backhaus 1978: W. Backhaus, Öffentliche Spiele, Sport und Gesellschaft in der römischen Antike. In: H. Ueberhorst (Hrsg.), Geschichte der Leibesübungen. 2: Leibesübungen und Sport in der Antike, bei den frühen Reitervölkern, im klassischen Griechenland, bei den Etruskern, in der römischen Antike, in der hellenistischen Zeit, im Frühchristentum (Berlin, München, Frankfurt a. M. 1978) 200-249.

Ball Platner/Ashby 1929: S. Ball Platner / Th. Ashby, A Topographical Dictionary of Ancient Rome (Oxford 1929).

Bard/Fattovich 2007: K. A. Bard / R. Fattovich (Hrsg.), Harbor of the Pharaohs to the Land of Punt. Archaeological Investigations at Mersa/Wadi Gawasis, Egypt, 2001-2005 (Napoli 2007).

Basch 1987: L. Basch, Le musée imaginaire de la marine antique (Athènes 1987).

Ben-Eli 1975: A. L. Ben-Eli (Hrsg.), Ships and parts of ships on ancient coins I (Haifa 1975).

Berlan-Bajard 2006: A. Berlan-Bajard, Les spectacles aquatiques romains. Collect. École Française Rome 360 (Rome 2006); Rezension: H. P. Isler, Gnomon 81/8, 2009, 737-741.

Bernert 1935: RE XVI 2 (1935) Sp. 1970-1974 s. v. Naumachie (E. Bernert).

Beste 1999: H.-J. Beste, Neue Forschungsergebnisse zu einem Aufzugssystem im Untergeschoss des Kolosseums. Mitt. DAI Röm. Abt. 106, 1999, 249-276.

Bockius 1997: R. Bockius, Vegetius und die Klassifizierung Römischer Kriegsschiffe in der Kaiserzeitlichen Flotte. In: R. Bockius / D. Baatz, Vegetius und die Römische Flotte. Monogr. RGZM 39 (Mainz 1997) 41-64.

2000: R. Bockius, Gleichmaß oder Vielfalt? Zum interscalmium bei Vitruv (De architectura I 2,21f.). In: Studia Antiquaria. Festschrift für Niels Bantelmann zum 60. Geburtstag. Universitätsforsch. Prähist. Arch. 63 (Bonn 2000) 111-125.

2002a: R. Bockius, Das Boot Yverdon 2. In: A. Mees / B. Pferdehirt (Hrsg.), Römerzeitliche Schiffsfunde in der Datenbank »NAVIS I«. Kat. Vor- u. Frühgesch. Alt. 29 (Mainz 2002) 63-65.

2002b: R. Bockius, On the reconstruction of Pisa, nave F, by the Museum für Antike Schiffahrt, Mainz. In: The Ancient Ships of Pisa. A European laboratory for research and preservation. »Culture 2000« programme (Brüssel o.J. [2002]) 23-29. 101-104.

2002c: R. Bockius, Die Römerzeitlichen Schiffsfunde von Oberstimm in Bayern. Monogr. RGZM 50 (Mainz 2002); Rezension: H. Nowacki, Internat. Journal Nautical Arch. 38, 2009, 184-186.

2006: R. Bockius, Die spätrömischen Schiffswracks aus Mainz. Schiffsarchäologisch-technikgeschichtliche Untersuchung spätantiker Schiffsfunde vom nördlichen Oberrhein. Monogr. RGZM 67 (Mainz 2006).

2007a: R. Bockius, Schifffahrt und Schiffbau in der Antike. Arch. Deutschland Sonderh. 2007 (Stuttgart 2007); Rezension: C. Börker, Skyllis. Zeitschr. Unterwasserarch. 9/1, 2009, 111-113.

2007b: RGA^{2} 35 (2007) 797-800 s. v. Yverdon-les-Bains (R. Bockius).

2010: R. Bockius, Zur Modellrekonstruktion einer byzantinischen Dromone (chelandion) des 10./11. Jahrhunderts im Forschungsbereich Antike Schiffahrt, RGZM Mainz. In: F. Daim / J. Drauschke (Hrsg.), Byzanz – Das Römerreich im Mittelalter. 1: Welt der Ideen, Welt der Dinge. Monogr. RGZM 84, 1 (Mainz 2010) 451-477.

2012a: R. Bockius, Uniformity or multiplicity? On the interscalmium noticed by Vitruvius. In: Rankov 2012, 170-181.

2012b: R. Bockius, Römische Kriegsschiffe. In: Th. Fischer (Hrsg.), Die Armee der Caesaren. Archäologie und Geschichte (Regensburg 2012) 366-395.

Bondioli/Burlet/Zysberg 1995: M. Bondioli / R. Burlet / A. Zysberg, Oar Mechanics and Oar Power in Medieval and Later Galleys. In: Gardiner 1995, 172-205.

Bonino 2003: M. Bonino, Un Sogno Ellenistico: Le Navi di Nemi (Pisa 2003).

2006: M. Bonino, Il Gabbiano. Una Barca a Remi di Età Augustea. In: A. Camilli / A. De Laurenzi / E. Stari (Hrsg.), Alkedo. Navi e commerci della Pisa romana [Ausstellungskat.] (Pisa 2006) 21-24.

2010: M. Bonino, Ricostruzione della barca C di Pisa S. Rossore. In: St. Medas / M. D'Agostino / G. Caniato (Hrsg.), Archeologia Storia Etnologia Navale. Atti del I convegno nazionale, Cesenatico – Museo della Marinieria, 4-5 aprile 2008. Navis 4 (S. Spirito 2010) 107-114.

Brein 1978: F. Brein, Die Leibesübungen im alten Griechenland. In: H. Ueberhorst (Hrsg.), Geschichte der Leibesübungen. 2: Leibesübungen und Sport in der Antike, bei den frühen Reitervölkern, im klassischen Griechenland, bei den Etruskern, in der römischen Antike, in der hellenistischen Zeit, im Frühchristentum (Berlin, München, Frankfurt a. M. 1978) 82-167.

Bruni 2000: S. Bruni (Hrsg.), Le navi antiche di Pisa. Ad un anno dall'inizio delle ricerche (Firenze 2000).

Buzzetti 1996: C. Buzzetti, Naumachia Domitiani. In: E. M. Steinby (Hrsg.), Lexicon Topographicum Urbis Romae 3 (Roma 1996) 338-339.

Camilli/Setari 2005: A. Camilli / E. Setari (Hrsg.), Ancient Shipwrecks of Pisa. A Guide (Milano 2005).

Cariou 2009: G. Cariou, La naumachie. Morituri te salutant (Paris 2009).

Casson 1971: L. Casson, Ships and Seamanship in the Ancient World (Princeton/New Jersey 1971).

1994: L. Casson, Ships and Seafaring in ancient times (London 1994).

Coarelli 2000: F. Coarelli, Rom. Ein archäologischer Führer (Mainz 2000).

Coates 1993a: J. F. Coates, The Design of an Experimental Trireme. In: Shaw 1993c, 21-28.

1993b: J. F. Coates, Should the Oar be Rigged Aft or Forward of the Tholepin? In: Shaw 1993c, 48-49.

2012: J. F. Coates, Human Mechanical Power Sustainable in Rowing a Ship for Long Periods of Time. In: Rankov 2012, 161-164.

Coates/Platis/Shaw 1990: J. F. Coates / S. K. Platis / J. T. Shaw, The Trireme Trials 1988. Report on the Anglo-Hellenic Sea Trials of Olympias (Oxford 1990).

Coleman 1993: K. M. Coleman, Launching into History: Aquatic Displays in the Early Empire. Journal Roman Stud. 83, 1993, 48-74.

Crumlin-Pedersen 1997: O. Crumlin-Pedersen, Viking-Age Ships and Shipbuilding in Hedeby/Haithabu and Schleswig. Ships & Boats of the North 2 (Schleswig, Roskilde 1997).

Crumlin-Pedersen/Trakadas 2003: O. Crumlin-Pedersen / A. Trakadas (Hrsg.), Hjortspring. A Pre-Roman Iron-Age Warship in Context. Ships & Boats of the North 5 (Roskilde 2003).

Decker 1975: W. Decker, Quellentexte zu Sport und Körperkultur im alten Ägypten (St. Augustin 1975).

1987: W. Decker, Sport und Spiel im Alten Ägypten (München 1987).

1996: Der Neue Pauly 1 (1996) Sp. 415 s. v. Aktia (W. Decker).

Decker/Kurth 1999: W. Decker / D. Kurth, Eine Ruderregatta zur Zeit des Tutanchamun. Nikephoros 12, 1999, 19-31.

Doumas 1992: Ch. Doumas, The Wall Paintings of Thera (Athens 1992).

Dürring 1995: N. Dürring, Materialien zum Schiffbau im Alten Ägypten. Abhandl. DAI Kairo: Ägyptol. R. 11 (Berlin 1995).

Ellmers 1995: D. Ellmers, Frühe Boote, Teil 8: Bootsregatten und Wagenrennen in Krieg und Frieden. In: Brückenbuch der Seesegler. Mitteilungsblatt der Segelkameradschaft »Das Wappen von Bremen«, Hochseeseglerabend 1994 (Bremen 1995) 40-44.

Engelhardt 1865: C. Engelhardt, Nydam Mosefund 1859-1863 (Kjöbenhavn 1865).

Fabre 2004-2005: D. Fabre, Seafaring in Ancient Egypt (London 2004-2005).

Ferkel/Konen/Schäfer 2004: H. Ferkel / H. Konen / Ch. Schäfer (Hrsg.), Navis Lusoria. Ein Römerschiff in Regensburg (St. Katharinen 2004).

Fortuin 1996: R. W. Fortuin, Der Sport im augusteischen Rom: Philologische und sporthistorische Untersuchungen. Palingenesia 57 (Stuttgart 1996).

Friedman/Galili/Sharvit 2002: Z. Friedman / E. Galili / J. Sharvit, Lead weights for balancing wooden gear of Hellenistic ships: Finds from the Carmel Coast, Israel. In: H. E. Tzalas (Hrsg.), 7th International Symposium on Ship Construction in Antiquity. Pylos, 26, 27, 28, 29 August 1999; proceedings 1. Tropis 7 (Athens 2002) 345-359.

Gabucci 1999: A. Gabucci (Hrsg.), Il Colosseo. Centri e monumenti dell'antichità (Milano 1999).

Gardiner 1955: E. N. Gardiner, Athletics of the Ancient World (Oxford 1955).

Gardiner 1995: R. Gardiner (Hrsg.), The age of the Galley. Mediterranean Oared Vessels since pre-classical Times. Convey's History of the Ship (London 1995).

Gardner 1881a: P. Gardner, Boat, Races amoung the Greeks. Journal Hellenic Stud. 2, 1881, 90-97.

1881b: P. Gardner, Boat-Races at Athens. Journal Hellenic Stud. 2, 1881, 315-317.

1890: P. Gardner, A Stele commemorating a Victory in a Boat-Race. Journal Hellenic Stud. 11, 1890, 146-150.

Gatti 1999: E. Gatti, Saepta Iulia. In: E. M. Steinby (Hrsg.), Lexicon Topographicum Urbis Romae 4 (Roma 1999) 228-229.

Göttlicher 2009: A. Göttlicher, Fähren, Frachter, Fischerboote. Antike Kleinschiffe in Wort und Bild. BAR Internat. Ser. 1922 (Oxford 2009).

Golden 2003: M. Golden, Sport in the Ancient World from A to Z (London, New York 2003).

Golvin 1988: J.-C. Golvin, L'Amphitheatre romain. Essai sur la théorisation de sa forme et de ses fonctions. Publ. Centre Pierre Paris 18 (Paris 1988).

Golvin/Landes 1990: J.-C. Golvin / Ch. Landes, Amphithéâtres & Gladiateurs (Paris 1990).

Golvin/Reddé 1990: J.-C. Golvin / M. Reddé, Naumachies, jeux nautiques et amphithéâtres. In: J. Domergue / C. Landes / J.-M. Pailler (Hrsg.), Spectacula. I: Gladiateurs et amphithéâtres. Actes du colloque tenu à Toulouse et Lattes les 26, 27, 28 et 29 mai 1987 (Lattes 1990) 165-177.

Grabert/Schäfer 2008: R. Grabert / Ch. Schäfer, Widerstandstest in der Schiffbau-Versuchsanstalt Potsdam. In: Aßkamp/Schäfer 2008, 72-92.

Hale 1996: J. R. Hale, Der Gleitschlag – Rudertechnik der Antike? Spektrum Wiss. 17/9, 1996, 90-96.

Harmanşah 2002: Ö. Harmanşah in: E. A. Dumser (Hrsg.), Mapping Augustan Rome. Journal Roman Arch. Suppl. Ser. 50 (Portsmouth/Rhode Island 2002) 179.

Harris 1972: H. A. Harris, Sport in Greece and Rome. Aspects of Greek and Roman Life (London 1972).

Himmler/Konen/Löffl 2009: F. Himmler / H. Konen / J. Löffl, Exploratio Danubiae. Ein rekonstruiertes spätantikes Flusskriegsschiff auf den Spuren Kaiser Julian Apostatas. Region im Umbruch 1 (Berlin 2009).

Höckmann 2001: O. Höckmann, The Kynos Sea-Fighters: Exception or Rule? In: H. E. Tzalas (Hrsg.), 6th International Symposium on Ship Construction in Antiquity. Lamia, 28, 29, 30 August 1996. Proceedings. Tropis 6 (Athens 2001) 223-234.

Hönle 2000: Der Neue Pauly 8 (2000) Sp. 750 s. v. Naumachie (A. Hönle).

Hrouda 1991: B. Hrouda, Der alte Orient. Geschichte und Kultur des alten Vorderasien (München 1991).

Humphreys 1978: S. C. Humphreys, Artist's mistakes. Internat. Journal Nautical Arch. 7, 1978, 78-79.

Jaroš-Deckert 1984: B. Jaroš-Deckert, Das Grab des Injtj.f: Die Wandmalereien der XI. Dynastie. Grabung im Asasif 1963-1979; 5 = Arch. Veröff. 12 (Mainz 1984).

Jarrett-Bell 1930: C. D. Jarrett-Bell, Rowing in the Eighteenth Dynasty. Ancient Egypt 15, 1930, 11-19.

Jensen 1997: K. Jensen, Ship-technical calculations of the Hedeby 1 and 3 ships. In: Crumlin-Pedersen 1997, 306-315.

1999: K. Jensen, Documentation and Analysis of Ancient Ships [PhD thesis, Dänemarks Techn. Univ., Lungby 1999].

Johnstone 1988: P. Johnstone, The Sea-craft of Prehistory (London, New York ²1988).

Jones 1995: D. Jones, Boats. Egyptian Bookshelf (London 1995).

Kienast 1966: D. Kienast, Untersuchungen zu den Kriegsflotten der Römischen Kaiserzeit. Antiquitas 1, 13 (Bonn 1966).

Kurt 1979: Ch. Kurt, Seemännische Fachausdrücke bei Homer. Unter Berücksichtigung Hesiods und der Lyriker bis Bakchylides. Zeitschr. Vergleichende Sprachforsch. Ergh. 28 (Göttingen 1979).

Lämmer 1986-1987: M. Lämmer, Die Aktischen Spiele von Nikopolis. Stadion 12-13, 1986-1987, 27-38.

Liberati 1996: A. M. Liberati, Naumachia Augusti. In: E. M. Steinby (Hrsg.), Lexicon Topographicum Urbis Romae 3 (Roma 1996) 337-338.

Lipke 1984: P. Lipke, The Royal Ship of Cheops. A retrospective account of the discovery, restoration and reconstruction. BAR Internat. Ser. 225 (Oxford 1984).

Løset im Druck: J. O. Løset, The Viking Longship. From Skinboat to Seagoing Warship (im Druck).

McKee 1997: E. McKee, Working Boats of Britain: their Shape and Purpose (London ²1997).

Meijer 1986: F. Meijer, A History of Seafaring in the Classical World (London, Sydney 1986).

Meijer/Wegener Sleeswyk 1996: F. J. M. A. Meijer / A. Wegener Sleeswyk, On the Construction of the »Syracusia« (Athenaeus V 207 A-B). Class. Quart. N.S. 46/2, 1996, 575-578.

Mihopoulou/Bakalou/Tzachou-Alexandri 1989: A. Mihopoulou / A. Bakalou / O. Tzachou-Alexandri (Hrsg.), Mind and Body. Athletic Contests in Ancient Greece. National Archaeological Museum, 15th May 1989 – 15th January 1990 [Ausstellungskat.] (Athens 1989).

Miltner 1931: RE Suppl. V (1931) Sp. 864-962 s. v. Seewesen (F. Miltner).

Morrison 1993: J. S. Morrison, Triereis: The Evidence from Antiquity. In: Shaw 1993c, 11-20.

1996: J. S. Morrison mit Beiträgen von J. F. Coates, Greek and Roman Oared Ships 399-30 B.C. Oxbow Monogr. 62 (Oxford 1996).

Morrison/Coates 1989: J. S. Morrison / J. F. Coates (Hrsg.), An Athenian Trireme Reconstructed. The British sea trials of Olympias, 1987. BAR Internat. Ser. 486 (Oxford 1989).

1990: J. S. Morrison / J. F. Coates, Die athenische Triere. Geschichte und Rekonstruktion eines Kriegsschiffes der griechischen Antike. Kulturgesch. Alte Welt 44 (Mainz 1990).

Patrucco 1972: R. Patrucco, Lo Sport nella Grecia Antica. Arte e Archeologia, Studi e Documenti 1 (Firenze 1972).

Pleket 1978: H. W. Pleket, Sport und Leibesübungen in der griechischen Welt des hellenistisch-römischen Zeitalters. In: H. Ueberhorst (Hrsg.), Geschichte der Leibesübungen. 2: Leibesübungen und Sport in der Antike, bei den frühen Reitervölkern, im klassischen Griechenland, bei den Etruskern, in der römischen Antike, in der hellenistischen Zeit, im Frühchristentum (Berlin, München, Frankfurt a. M. 1978) 280-311.

Pomey/Tchernia 2006: P. Pomey / A. Tchernia, Les inventions entre l'anonymat et l'exploit: le pessoir a vis et la Syracusia. In: E. Lo Cascio (Hrsg.), Innovazione tecnica e progresso economico nel mondo romano. Atti degli Incontri capresi di storia dell'economia antica (Capri, 13-16 aprile 2003). Pragmateiai 10 (Bari 2006) 91-99.

Pryor 1995: J. H. Pryor, From Dromōn to Galea: Mediterranean bireme galleys AD 500-1300. In: Gardiner 1995, 101-116.

Pryor/Jeffreys 2006: J. H. Pryor / E. M. Jeffreys, The Age of the ΔΡΟΜΩΝ. The Byzantine Navy ca 500-1204. The Medieval Mediterranean 62 (Leiden, Boston 2006).

Rankov 1993: B. Rankov, Rowing Olympias: A Matter of Skill. In: Shaw 1993c, 50-57.

2012: B. Rankov (Hrsg.), Trireme Olympias. The Final Report. Sea Trials 1992-4. Conference Papers 1998 (Oxford 2012).

Reddé/Golvin 2005: M. Reddé / J. C. Golvin, Voyages sur la Méditerranée romaine (Paris 2005).

Reisner 1913: G. A. Reisner, Models of Ships and Boats. Catalogue général des antiquités Égyptiennes du Musée du Caire 50 (Le Caire 1913).

Richardson 1992: L. Richardson, A New Topographical Dictionary of Ancient Rome (Baltimore, London 1992) 265-266. 340.

Schäfer 2008: Ch. Schäfer, Lusoria – ein Römerschiff im Experiment. Rekonstruktion, Tests, Ergebnisse (Hamburg 2008).

Shaw 1995: J. T. Shaw, Oar Mechanics and Oar Power in Ancient Galleys. In: Gardiner 1995, 163-171.

Shaw 1993a: T. Shaw, Rowing Olympias: Further Lessons of the Sea Trials. In: Shaw 1993c, 58-68.

1993b: T. Shaw, The Voyage and Speed Trials of Olympias in 1990. In: Shaw 1993c, 39-44.

1993c: T. Shaw (Hrsg.), The Trireme Project, Operational Experience 1987-90, Lessons Learnt. Oxbow Monogr. 31 (Oxford 1993).

Sleeswyk 1982: A. W. Sleeswyk, A new reconstruction of the Attic trieres and bireme. Internat. Journal Nautical Arch. 11/1, 1982, 35-46.

Sonetti 2001: A. Sonetti (Hrsg.), The Ancient Ships of Pisa [Ausstellungskat. New York] (Pisa 2001).

Steffy 1985: J. R. Steffy, The Herculaneum Boat: Preliminary Notes on Hull Details. American Journal Arch. 89, 1985, 519-521.

1993: J. R. Steffy, Wooden Ship Building and the Interpretation of Shipwrecks (College Station/Texas 1993).

Taylor 1997: R. Taylor, Torrent or Trickle? The Aqua Alsietina, the Naumachia Augusti, and the Transtiberim. American Journal Arch. 101, 1997, 465-492.

Tenne 1789: A. Tenne, Kriegsschiffe zu den Zeiten der alten Griechen und Römer (Oldenburg 1789).

Trakadas in Vorb.: A. Trakadas, Athenian naumachiai: Hellenistic and Imperial naval festivals and their contexts. In: H. E. Tzalas (Hrsg.), 10th International Symposium on Ship Construction in Antiquity. Hydra 27 August – 2 September 2008. Tropis 10 (in Vorb.).

Ucelli 1950: G. Ucelli, Le navi di Nemi (Roma ^{2}1950).

Vidman 1982: L. Vidman, Fasti Ostienses. Edendos illustrandos restituendos curavit (Pragae 1982).

Wachsmann 1998: S. Wachsmann, Seagoing Ships & Seamanship in the Bronze Age Levant (London 1998).

Ward 2000: C. Ward, Sacred and Secular: Ancient Egyptian Ships and Boats. Arch. Inst. America Monogr. N. S. 5 (Boston 2000).

2004: C. Ward, Boatbuilding in Ancient Egypt. In: F. M. Hocker / Ch. A. Ward (Hrsg.), The Philosophy of Shipbuilding. Conceptual Approaches to the Study of Wooden Ships (College Station/Texas 2004) 13-24.

Wedde 2000: M. Wedde, Towards a Hermeneutics of Aegean Bronze Age Ship Imagery. Peleus 6 (Mannheim, Möhnesee 2000).

Wegener Sleeswyk/Meijer 1997: A. Wegener Sleeswyk / F. J. A. M. Meijer, Quantitative Analysis of the Oarage of Philopator's »Forty«. Mnemosyne 50/2, 1997, 185-198.

Weiler 1981: I. Weiler, Der Sport bei den Völkern der Alten Welt. Eine Einführung (Darmstadt 1981).

Welch 1991: K. Welch, Roman amphitheatres revived. Journal Roman Arch. 4, 1991, 272-281.

Woolley 1934: C. L. Woolley, The Royal Cemetery. A report on the Predynastic and Sargonic graves excavated between 1926 and 1931. Ur Excavations II (London 1934).

Glossar

Achter …	Hinter …
Ausklinkung	Ausschnitt; Part einer Holzverbindung
Balkweger	Innenplanke an der Bordwand zur Auflage eines Querbalkens
Barke	allgemein für kleines Ruderfahrzeug ohne Mast
Dollbaum	Innenplanke oder -profil zur Verstärkung des Dollbords
Dollbord	Auflagefläche oder -element für Riemen
Dolle; Dollpflock	Widerlager für Antriebsriemen
Dromone	byzantinisches Kriegsschiff mit zwei Riemenreihen
Ducht	Ruderbank
Duchtweger	Innenplanke an der Bordwand zur Auflage einer Ruderbank
Finne	hier die horizontalen scharfkantigen Prallplatten des Rammsporns
Freibord	minimale Höhe der Bordwände oberhalb der Schwimmwasserlinie eines Wasserfahrzeuges
Grummet	gespleißter Tauwerksring, der durch achterförmige Drehung zwei Ösen erhält, die gegenläufige Zugkräfte aufnehmen
Holm	Innenhebel des Riemens; Teil vom Riemenschaft
Kimmstringer	am hölzernen Boot ein längsschiffs mit den Spanten verbundenes Element zur Stabilisierung des Rumpfgefüges, das Biege- und Zugkräfte aufnimmt
Kimm; Kimmung	Übergang vom Schiffsboden in die -seiten; sinngemäß der Übergang einer annähernden Horizontalen in eine Schräge
Koker	stabilisierende Führung eines Mastes oder Ruderschaftes
Pütting	Rüsteisen; Beschlag zur Einleitung von Zugkräften in den Rumpf
Riemen	beidhändig oder von mehreren Personen bedientes Antriebsruder
Riemenauslage	in Arbeitsstellung gebrachter Riemen; Anfangsposition des Durchzugssektors
Rigg	Takelage; sämtliche bewegliche und starre Antriebsteile
Rojer	Ruderer
Schergang	oberster Plankengang der Rumpfschale
Skiff	von einer Person gerudertes Sportboot (»Einskuller«)
Skull	paarweise durch eine Person bediente Antriebsruder
Spant	binnenbords an der Plankenhaut fixierte Quervergurtung eines Rumpfes
Steven	am Kiel ansetzende Profilhölzer, an denen die Beplankung scharf geformter Rümpfe anbindet
Stropp	kurzes Tauwerkende, ringartig gespleißt (vgl. Grummet) oder mit Augenenden (Ösen)
Takelage	sämtliches zum Segeln erforderliches Inventar; bewegliche und feste Ausstattung (vgl. Rigg)
Wegerung	Innenverkleidung eines Rumpfes, gewöhnlich an den Spanten befestigte Leisten oder Planken